戦時下のウクライナを歩く

岡野直

光文社新書

まえがき

人の背丈ほどに深く掘られた塹壕《ざんごう》が、ヘビのようにうねうねと走る。その近くに「どくろ」の描かれた看板が並ぶ。どくろは「地雷に注意」のマーク。塹壕は敵から隠れるため。１カ所や２カ所ではない。ウクライナの首都キーウの住宅街は、戦《いくさ》の跡が今も点在している――。

これは、キーウで目撃した光景だ。

私は戦争中のウクライナを訪ね、多くのウクライナ人を取材した。タクシーの車内で話した運転手さんや寝台列車の中で交わした旅人との密かな会話も含めれば、会った人は１００人をゆうに超える。

ロシアがウクライナに本格侵攻したのは２０２２年２月。戦いは数日でロシアが勝利する

キーウ市北東部に掘られた塹壕。集合住宅から 100 メートルほど離れた幹線道路沿いにあった。

と、世界の多くの人が思っていた。しかし、ウクライナは激しい戦いを続け、世界最大の核大国を撃退しようと今も尽力している。それは、軍人以外に一般市民も国を守る戦いに立ち上がったから——。そんな情報を日本で聞いた私は、戦いのゆくえにスポットライトが当たりがちなこの戦争の別の側面を知りたくなった。

　ロシアが突然侵略してきて、市井《しせい》のウクライナ人はどう感じ、どんな行動を取ったのか。また、どんな心の傷を受けているのだろうか。できる範囲でこの国を歩き、時には寝台列車にも乗って、ウクライナ各地を訪ねてみよう。できるだけ多くの人と話してみよう。こう思ったのだ。

そのための「武器」はロシア語だ。私は新聞社で記者の仕事をしながら、趣味でロシア語の勉強を続け、退職後にはロシア語通訳の国家資格も取得した。通訳として日本ではウクライナ難民の支援もしている。

ウクライナ人の多くはロシア語が理解でき、ウクライナ語とのバイリンガルも少なくない、と難民の方からは聞いた。とはいえ、ロシアと戦争中の今、ウクライナ人にとっては「敵性語」ではないのだろうかという疑念はぬぐえない。ロシア語で取材して大丈夫だろうか。そんな不安を抱きながらも、私はウクライナへと向かい、東はロシア国境から40キロのハルキウ市、西はスロバキアに接するウジホロド市、南は前線に近いザポリージャ市と、国内を横断するように各地を訪ねた。

文化が多様で魅力に満ちたこの国が、はたしてロシアとの戦争でどんな苦しみを受けているのか。この取材の記録から、ぜひそれを知ってもらいたい。

ロシア
ルハンスク州
ハルキウ
ドニプロ川
バフムト
ザポリージャ州
ザポリージャ
マリウポリ
ドネツク州
ヘルソン
ヘルソン州
クリミア半島
黒海

ウクライナの地図

取材相手の名前は、安全確保のために仮名している場合がある。写真は特筆のない限り、筆者撮影。また、インタビューやゼレンスキー大統領の発言などは、すべて筆者による訳となっている。

戦時下のウクライナを歩く

目次

第2章

占領下の町で何があったのか

――拷問され、遺体となった隣人

第8章

市民が語るゼレンスキー大統領

目次・章扉作成／熊谷智子
地図作成／デザイン・プレイス・デマンド

第1章

立ち上がる人、逃れる人

――キーウ首都防衛戦の中で

２０２２年２月24日、ウクライナは北、東、南の３方向からロシアに侵略された。

ロシアの兵力は総計十数万人。北部では、隣国ベラルーシなどから首都キーウの占拠を目指してロシア軍が南下し、大統領府が狙われた。日本に喩《たと》えるならば、首相官邸のある東京に向けて、日本に敵対的な国の軍が、東京湾から着上陸してきたようなものだ。

ウクライナの南部方面では、すでに２０１４年にロシアが一方的に併合したクリミア半島にロシア軍基地があり、そこから軍が北上。また、東部方面にはウクライナ・ドンバス地方のドネツク州とルハンスク州の内部に、ロシアが後ろ盾となって「独立」を一方的に承認した親ロシア派の「ドネツク人民共和国」と「ルガンスク人民共和国」があった。両州では、いずれの「共和国」も、面積にして３分の１以上を占めていた。ロシア軍はその領域を広げようと、そこから進軍した。

この時点で、ウクライナにとって一番の懸念は首都キーウだった。しかし、ウクライナ軍は東部にも、南部にも戦力を割かざるをえなかった。

北から進軍してくるロシア軍を前に、首都陥落の危機が迫っていた――。

市民が考えるロシアの侵攻の目的

キーウのゼレンスキー政権は、すぐロシア軍に倒される。

侵攻が始まった時、これが世界各国の首脳が共有する「常識」だった。ロシアが、ウクライナを軍事力で圧倒すると考えられていたからだ。ゼレンスキー大統領は欧米から亡命を勧められてもいた。しかし、それを断ると、侵攻から20時間後に悲壮な決意表明を行った。

私が敵の標的ナンバーワンであり、キーウに（自分を暗殺する）敵の破壊工作員が入ったという情報も得ています。（しかし）私は、中央権力を支えるすべての人とともに政府庁舎のある区画に残ります。

（２０２２年２月25日未明　ウクライナ大統領府ＨＰより）

「なぜなの？　ロシアの侵略はなんのためなの？」

あるウクライナ人女性から、私はこう問いかけられた。私は言葉に詰まった。同じように自問するウクライナ人は少なくなかった。

これに関連して、ウクライナで市民からよく聞いた言葉は「ロシアの世界（ルースキー・ミール）」である。インタビューした多数のウクライナ人の話をまとめてみると、次のような意味だ。

プーチン大統領の戦争目的は、ロシアの歴史観、文化、言語、政治体制を押しつけることだ。ウクライナ国家、民族を滅亡させ、ロシアの意のままになる世界を作ろうとしている。そのためには無抵抗の民間人を殺したり、拷問したりすることをいとわない。

文化や言語の面でもロシアと戦って、ロシアの影響を受けないウクライナ独自のものを目指すべきだ、という人もいた。

そして、戦争の決着については、ウクライナの世論調査によると「勝利まで、時間がかかっても戦い抜く」という人が圧倒的だ。ただ、少数ながらも私は「ロシアの世界」を肯定するウクライナ人にも出会った（これについては第4章を参照）。

立ち上がった下町の〝野郎ども〟

話を本格侵攻開始時の首都防衛戦に戻そう。まえがきで触れた、キーウ市の住宅街にある塹壕を思い出してほしい。それは、キーウ北東部に広がるドニプロ区にあり、掘ったのはその区民たちだった。

キーウは東京23区のように10区から構成される。官庁や観光地が集中する西側にある区は「エリートの街」とも呼ばれ、オフィスが目立つのに対し、東部、とりわけドニプロ区は住宅が多い。東京でいえば江戸時代から庶民が住み、松尾芭蕉も庵《いおり》をたてた江東区深川とか、その北に位置する足立区、墨田区などの住宅街に相当する。

ドニプロ区は首都防衛戦において一つの要所でもあった。それは、ロシア軍が侵攻前に演習名目で集結していた隣国ベラルーシから幹線道路が走っており、侵入経路となりえる区だったからだ。

幹線道路から１００メートルほどのところには、９階建ての住宅が並ぶ団地がある。私は、知人の紹介でそこに住む50代のウクライナ人女性、レーラ・パブロワさんの自宅を訪ねた。

ロシア軍のキーウ侵攻を防いだ領土防衛隊の市民50人にご飯を振る舞ったレーラさん。

「人間、死ぬのは一度っきり。死ぬ時は死ぬのが人生だから、私はロシアなんて怖くない」

レーラさんは2月24日、戦争が始まった瞬間にそう覚悟を決めたと話す。

「午前5時頃でした。不眠の症状が続いていたので、この日の朝も自宅のベランダに出て、たばこを吸っていたんです。すると、上空をウクライナ軍の戦闘機10機余りが、次々に北へ飛んでいきました。『2月16日に侵略が始まる』というアメリカの予想の報道もあったし、何かあるかもと思って、カップラーメンも備蓄していました。ついに、『その時』が来たんです」

両軍の砲撃音が聞こえて、自宅の壁や窓ガラスがビリビリ振動した。近所の人からは「逃げないの?」と聞かれたが、9階にある自宅からは離れないと決めた。

「野郎どもが、私を待っていてくれたからです」

気風《きっぷ》がよく、いざとなったら駆けつけてくれる。そんな江戸落語に出てくるような男くさい人物を、現地の言葉では親しみを込めて「野郎ども」と呼ぶ。レーラさんも下町っ子。区内50人の「野郎ども」が団地に集まり、幹線道路を守ろうと活動を始めた。

何か自分にできることはないか。レーラさんは考えた。

「食事を出そうと思いました。私は昔、コックの仕事をしていた経験もあるし、男たちに一緒に幹線道路脇に竈《かまど》を作ろうと提案したのです」

幹線道路に集まった「野郎ども」は、スポーツウェアやジャンパー姿が多かった。ジーンズをはいた若者もいた。防弾チョッキをつけていたのは数人だけ。小銃はみな持っていたものの、ロシアの戦車に対抗できる重火器はなかった。

ただ、この時点でロシアの戦車や軍用トラックの車列は数十キロまで迫っていた。そこで、男たちはできることから始めた。スコップで幹線道路脇に塹壕を掘りめぐらせる。戦車を妨害するために、X字型の大きな鉄製機具を路上に置く。地雷は軍が敷設《ふせつ》した。

レーラさんはその傍らで、野郎どもの食事を作っていたという。

「キノコ入りのピロシキや肉のたっぷり入ったパイを食べさせたい、と思いました。ただ、肉や野菜を買うお金はすぐなくなってしまいました。でも、彼らのためなら金は惜しくない。

手元の金細工を売って資金を調達しました」

50人の男たちは3食、うまそうに食べたという。

戦いを支える領土防衛隊

防衛において怖いのは破壊工作員だった。人を拉致したり、殺したりするのが彼らの任務だ。

「私の自宅のそばにも、数年前にドニプロ区外から引っ越してきた身元不明のロシア人がいました」

こうした不審人物が、首都中心部の大統領官邸の方向へ行くのを食い止めるのが、レーラさんと仲間の一番の任務だった。ただ、彼らはウクライナ人を装い、ウクライナ語をしゃべろうとしてくる。重要な道路には検問所が設けられたが、「どうすればロシアからの侵入者を突き止められるのか、その具体的な方策を立てるのは難しかった」という。

それでも、男たちは24時間態勢で検問所に詰め、時には合言葉も使って工作員を見つけようとした。大統領府には破壊工作員が少なくとも数回侵入し、ゼレンスキー大統領は暗殺の危機に見舞われた。だが、キーウの下町っ子らの努力が無意味だったわけではない。それがなかったなら、ロシアの大統領暗殺作戦を許してしまう可能性はより高まっていただろう。

50人がすぐ集まれたのは、「領土防衛隊」という組織のメンバーだったからだ。領土防衛隊は、ウクライナ政府がロシアの脅威に備えるために2022年1月に正式に発足させた組織だ。各地域の防衛を市民にも担わせるのが狙いで、侵攻の直前には、各地で部隊が整いつつあった。ウクライナ国防省によると、全国でおよそ10万人の市民が、侵攻直後の数週間に領土防衛隊に志願し、その後もさらに増えたという。

バナナを銃に持ち替えて

領土防衛隊に所属しない市民たちも銃を手に取った。

キーウの東部に住む40代のチモフェイ・メリニコフさんは、長年運送会社で輸入バナナを配送する仕事をしていた。今は転職し、ガソリンを全国のガソリンスタンドに配送する仕事に携わる。軍の経験はなく、ずっと会社員として生きてきた。ただ、2月24日の侵攻で、バナナやガソリン缶を銃に持ち替えたという。穏やかな口調で、その瞬間を語り始めた。

「2月末、危ないのは首都に1カ所だけある民間空港の『キーウ空港』だと思いました」

その時、キーウの北の郊外にある軍用空港「ホストーメリ空港」は、ロシア軍のエリートである空挺《くうてい》部隊が降り立ち、ウクライナ軍と激しく戦っていた。次に、首都南西部に位置するキーウ空港が狙われるのは間違いない。チモフェイさんはこう考えた。なぜなら、キーウ空港から大統領府まで直線で7キロしか離れておらず、制圧されてしまえば、ロシア軍の車両は10分以内にゼレンスキー大統領の喉元へ到達可能となってしまうからだ。ただし、チモフェイさんのもとには「侵攻開始当日、政府からも軍からもなんの情報もありませんでした」という。

「僕は、元軍人の友人がけっこういるので、民間人としては軍事に詳しいほうだと思います。そうした友人の一人に電話をかけました。彼と話すうちに『ウクライナを守りたい、とにかくキーウ空港へ行かねば』という愛国心のような気持ちがわいてきたのです」

市民は武器の保持は禁止されている。手ぶらで自家用車に乗って空港へ出発した。もちろん人を撃ったことはない。

「ロシア軍と戦うことになるかもしれないという怖さが、空港へ向かう途中でだんだんと込み上げてきました」

　空港に着くと、指揮を取るウクライナ軍の将官がすでに現場に立っていた。軍はキーウ空港の防衛態勢を整えようとしていた。しかし、状況は混乱しており、兵士も不足していた。

　チモフェイさんはその場で、軍人からＡＫ‐47自動小銃を渡された。身分証明書を軍人に見せ、ウクライナ人であることが証明できれば、誰でも銃を受け取れたという。

「『自分には猟銃を撃った経験がある。なんとかなる』。そう心の中でつぶやき、気持ちを落ち着かせました」

　こうして、若い士官学校生や軍人、民間人からなる「空港防衛隊」が、その場でできあがった。人員は百数十人ほど。部隊はグループに分けられ、４時間交代で空港を警備することが決められた。滑走路や格納庫などがロシア軍に襲われないよう、手分けして各施設の前に立ち、銃を片手に警備につく。チモフェイさんは、空港建物の中央入り口をまかされた。当時の気温は零度前後で、寒くて体の震えが止まらなかったという。

突然の銃撃戦

ロシア軍の侵入は突然だった。2月27日早朝、緑色の軍用トラック「カマス」が空港に現れた。中央入り口から数十メートルの地点まで接近。緑の軍服を着たロシア兵約8人が乗っており、突如として銃撃戦が始まった。チモフェイさんは、その時は非番で空港の地下室で休憩していた。

「地上に上がると、空港の強化ガラスの壁に大きな穴が開いていて、弾痕もたくさんありました。仲間からは戦闘は数分間だった、と聞きました。破壊工作員でしょうが、確かなことは分かりません。ロシアの軍用トラックは穴だらけになり、焼け焦げていました」

この戦闘中、仲間の「にわか兵士」の中には腰を抜かした人もいた。銃撃を経験した20代の民間人男性が小便をもらしてしまったという。

「彼がトイレでパンツとズボンをはき替えていたので、『初めての経験だから無理もない。気にするな』と声をかけました。自分も緊張が続いて、空港にいた2週間はほとんど眠れませんでした」

　それでも、チモフェイさんには、侵攻に対する心の備えみたいなものがあった。のちにゼレンスキー政権の大統領府長官顧問になるオレクシー・アレストビッチ氏から「必ずロシアは侵攻してくる」と直接聞いていたからだ。

ロシア兵に銃撃されたキーウ空港の内部。壁のガラスが銃弾で割れている（2022年2月27日）。関係者提供。

　２０１４年、汚職まみれで、親ロシア派のヴィクトル・ヤヌコビッチ大統領を市民が追放した、マイダン革命が起きた。「マイダン」は広場を意味するウクライナ語だ。大統領が欧州連合（EU）との統合路線を否定したのが、ひきがねだった。腐敗政権の打倒を叫ぶ抗議行動が起きると、どこからか現れたスナイパーが襲撃。１００人以上の市民が亡くなった。市民数千人が警官隊と衝突し、警官側にも死者が出た。

　チモフェイさんはこの革命を支

持しており、その中心地だったキーウ市の大きな広場に行ったことがある。

「アレストビッチ氏もその広場に来ていたことがあり、人々に声をかけているのを見かけました」

アレストビッチ氏は、軍の情報収集を担当していた人物で、マイダン革命の後は国防についてのレクチャーをしばしばやっていた。チモフェイさんが、その会場のいすに座って話を聞いていたら、壇上のアレストビッチ氏から指名され、住所を尋ねられた。

「キーウ東部の地区に住んでいますと答えたのですが、アレストビッチ氏は、こちらの目を見ながら『ロシアはきっと全ウクライナの占領を目指すでしょう。あなたの住む地区の幹線道路が侵略の経路になるかもしれません』と言ったのです。強く心に残りました」

残念ながら、その〝予言〟は的中する形となった。マイダン革命の後、ロシア軍はウクライナ南部のクリミア半島を占拠。ウクライナ東部では実質的な軍事介入を始めた。

「２０１４年という年に戦争はすでに始まっていたのです。ウクライナ人のほとんどはそう思っています。戦争状態がずっと続いてきたのです」

だから、２月24日に兵役志願の市民が、徴兵を受けつける「徴兵登録事務所」に殺到しても意外に感じなかったと、チモフェイさんはいう。当時、キーウ西部の職場近くにあるその事務所を通りかかると、中に入りきれない50人ほどの志願者が列をなし、路上で順番を待っていた。

このように戦うことを望む市民は珍しくなかった。徴兵登録事務所は、各地にある国防省傘下のオフィスだが、そこでは希望者が自動小銃も受け取れた。市民の手に渡った銃は全国で数万丁にのぼるという。

世界を変えた３日間

ウクライナに対する世界の見方を変えようとした３日間――。

ウクライナで起きた２０２２年２月末の戦いはこう呼べるだろう。ゼレンスキー大統領の発言もその事実を物語る。侵攻開始直後の２月25日未明、大統領は不安感をにじませた声明を発表した。

　今日、私は様々な国の指導者と会談したのだが、いろいろ感じざるをえなかった。第一に、我々は支持されている。言葉だけでなく、具体的な形でウクライナを支援してくれる各国に感謝している。しかし、自国を防衛しようとしている我が国は、孤立している。誰が（どの国が）我々と一緒に戦う用意があるだろう？　正直に言う。そういうもの（国）を私は見つけられない。

（ウクライナ大統領府ＨＰより。以下同）

それが、２月26日になると、大統領は「我々は持ちこたえた——戦争３日目」と題された声明を発表。さらに、その翌27日には次のようにも述べた。

我々は持ちこたえ、敵の攻撃の撃退に成功している。占領者は我が国の権力中枢を封鎖し、彼らの操り人形を据えようとした。我々はその計画を打ち破った。

（２０２２年2月26日の演説より）

我々を助けてくれる者（国）がいる。それはすでに目に見える存在だ。我々は彼らから、武器を、薬を、食料を、ディーゼル燃料を、お金を、受け取れる。ウクライナを支援する強固な国際的コアリションができたのだ。

（２０２２年２月27日の演説より）

欧米諸国からロシア軍についての情報提供などの支援はあっただろう。ただ、欧米の「72時間以内にキーウは陥落する」という見方を覆したのはウクライナ人自身だった。大統領の言う通り、西側はロシアに対してより厳しく対峙する方向に舵を切り始めた。

戦いを逃れようとした人たち

激しい戦いの最初の３日間を耐え忍ぶことができたのは、ウクライナ軍だけでなく、多くのウクライナ市民が抵抗に立ち上がったためでもあった。その一方で、心理的に戦争の現実から目を背けたくなったり、戦いから逃れようとした人がいたのも事実である。

私はキーウで拾ったタクシーの車内で、運転手さんから自分の息子が兵役についてしまったと嘆く話を聞いた。ハンドルを握ったまま「侵攻開始の２月24日を境に、うちの息子が突然変わってしまったんです」と、ざっくばらんな口調で話し始めた。

息子さんは「国を守る」といって領土防衛隊に入隊したそうだ。IT専攻の大学生だが、学業は放棄した。領土防衛隊での任務は、麻薬所持者の取り締まりなどが中心だという。

「キーウ市内で夜間パトロールをするんですよ。危ないじゃないですか。息子は本当にまだベビーなんです。21歳といっても、私にとってはほんの子供なんですよ。2月24日に『本物の男』になっちゃったんですね。私は泣きましたよ。もし前線に行くことになったら……その時、私はもう絶望して生きていられませんよ」

私は運転手さんに同情すると同時に「兵役がいやな若者もいるのではないか」という疑問がわいてきた。親に心配をかけたくないとか、人を殺したくないとか、いろいろな理由で兵役から逃れたい、と思う人もいる可能性はありそうだ。キーウの喫茶店で出会い、会話を交わした20代のサーシャさんは、まさにそのような考えの男性だった。

サーシャさんは、2月24日は「自分がゲームの世界にいるみたいでした」という。

「砲弾が上空を飛び交うなんて現実感がなかった。面白いというと不謹慎になってしまうけど、そんな感じ。怖いとかっていうのは、不思議となかったですね」

サーシャさんは友人三人とキーウを離れ、西へ向けて出発した。首都は危ないという気がだんだんしてきて、隣国のポーランドへ越境したいと思ったという。

「僕は人に銃を向けて殺すことはできない。僕は若いし、すべてはこれからです。戦争のない国に移住したい。日本でもアメリカでも、どこでもいいです。ウクライナでは戦うことを我が身に引き受ける人はたくさんいるから、戦うのは僕でなくてもいいと思っています」

一方的なロシアによる侵略。家族や国を守るために市民が銃を取ろうとするのは自然なことにも思える。「ロシアへの勝利をどの程度確信しているか？」をウクライナ人に尋ねた、キーウ国際社会学研究所の世論調査（２０２２年12月）では、約96％が「確信する」と答えており、戦意の高さをうかがわせる。一方で、そうはいっても人を殺したくないとか、自分の人生の自己実現が大事だという考え方も存在することを、サーシャさんは教えてくれた。

ただ、ポーランドとの国境でサーシャさんたちは国境警備隊員らしい人に呼び止められた。「健康に問題はあるか」と聞かれ、正直に「ありません」と答えると、「家に帰れ」と言われたという。サーシャさんは、友達とバスに乗って自宅へ戻った。ウクライナでは国民総動員令が出され、男性のうち18歳以上、60歳以下の人は出国を禁止されている。そのため、サーシャさんは帰らざるをえなかった。

サーシャさんのように、徴兵年齢の男性でも国外へ出ようとした人は意外と多かった。当時、キーウの道路は避難者の車で大渋滞し、駅も国の西部へ向かう人々が殺到していた。空港防衛の後に市内の駅の警備に向かったチモフェイさんはこう話す。

「(キーウ市内の)駅では一つの列車に数百人が乗ろうとしていましたが、その1割くらいが若い男や中年男性でした。『女性や子供を逃がすのが先だろう』と彼らに言って止めました」

市民を守ったソ連の〝遺産〟

ロシアが中核的位置を占めた多民族国家、ソ連(ソビエト連邦)は1922年から1991年まで存在し、ウクライナ・ソビエト社会主義共和国もその一部だった。ウクライナが本格的な自立した国家として独立したのは、ソ連が解体した1991年だ。そして今、ソ連時代につくられた〝遺産〟がウクライナ市民を助けている。

ソ連はアメリカとの本格的な戦争に備えた軍事国家だった。特に核戦争にどう耐え抜くかが重視され、多くの地下鉄駅は避難壕として深い場所に建設された。そして、2月24日のロシアの侵攻開始直後、多くのウクライナ市民がそんなソ連時代にできた駅に隠れて命が助かり、ウクライナ軍が戦いやすい環境を作り出したのである。

キーウの下町に住む34歳の建築職人ビターリーさんも、そうした避難壕に逃れた一人だ。彼の家を訪ねた私に、ビターリーさんは「正夢」を語り始めた。

侵攻の前日、ビターリーさんは、女性の手を握って戦場から逃げ出そうともがく夢を見た。妻に「何か起きるぞ」と言ったが、妻は信じなかった。翌朝、夫婦は上空から戦闘機の飛ぶキーンという音を聞いた。妻はがたがた震えだした。ビターリーさんはその手を握って落ち着かせようとした。

妻から「首都で一番深い地下１０５メートルの駅がある」と聞いたビターリーさんは、二人でその駅を目指した。地下鉄はまだ運行していた。その駅のプラットホームには、すでに約70人が集まっていた。妻の震えは止まらなかった。

「コンクリート製の床に横たわったんですが、床は冷たかった。２日目には妻はせき込み始めました。そこで、毛布を取りにいくために一人でいったん自宅に戻ったんです。路上では空襲警報のサイレンが鳴り、銃声も響いていました。怖くて、ストレスがひどかったです。無事に妻のところへは戻れましたが、３日目に列車の運行が止まり、家に戻るのが難しくなりました」

ビターリーさんは駅構内で、人々が「21世紀にこんな戦争が起きるなんて」と嘆《なげ》くのを聞いて、「大丈夫だ。きっと軍が助けてくれる」と励ましもしたという。

「僕は社交的な性格なので、なるべく声をかけるようにしました。ギターを弾く人もいたし、エアロビクスのトレーナーの女性の音頭で、大勢で体操もしました。食べ物は不足していましたが、４日目くらいから民間ボランティアが駅構内に来て、ソーセージなどの入った弁当を配ってくれました。みんなで協力してしのいだのです」

ウクライナ北東部のハルキウ市に住む20代の国語教師ターニャさんも、侵攻当日からの8日間、自宅近くの地下鉄駅構内に枕と毛布を持ち込み避難した。

地上に出るのは買い物の時だけだったという。駅のそばにある地上のスーパーは営業を続けていた。砲撃を恐れない商店経営者も中にはいて、食料や日用品を供給し、避難者の命を助けていた。ただ、避難者が困ったのはトイレだった。地下鉄構内に一つしかなく、尿意の近いお年寄りらが常に行列をなしていた。

「私は若いから、ちょっとしかトイレに行かなかったけれど、年上の人々は本当につらそうでした」

＊　　＊　　＊

ウクライナ国内を歩いてみると、確かに侵略者と戦いたいという市民は少なくなかった。一方で、戦いからは逃げ出したいという人もいた。安全を求め、隠れる人も多かった。戦争に直面したウクライナ人のとった行動は意外とバラバラだった。彼らの意識を一つにまとめているものはなんなのだろう――。新たな疑問がわいてきた。

第2章

占領下の町で何があったのか

――拷問され、遺体となった隣人

２０２２年２月末から３月にかけて、ウクライナ各地でロシア軍の進軍は止まらなかった。３月２日、南部ではヘルソン州ヘルソン市をロシア軍が占領した。州都がロシアの手に落ちたのは、この戦争で初めてだった。さらに、ザポリージャ州の主要都市メリトポリなど南部の多くの地域がロシアの占領下に。そこの住民たちはデモや集会を行って抗議したが、ロシアの占領軍や治安機関は時に発砲もして、住民を抑え込もうとした。

一方、北部では「首都陥落」を狙うロシア軍の車列が幹線道路に長く延び、３月初めには一時64キロに到達。補給が困難になるなど作戦に問題が生じた。それに対し、３月上旬から中旬にウクライナ軍の本格的な反攻がようやく始まり、北部でのロシア軍の動きは鈍り始めた。ウクライナ軍がキーウ州で３月10日頃、ロシア部隊に攻勢をかけたことが転換点となった。

それでも、ロシアがすでに占領していた地域は広く、ウクライナの北部、南部、東部の一部ではロシアによる住民の虐殺や拉致、尋問が始まった。

中でも、北部キーウ近郊のブチャ市では民間人の大量虐殺が起きた。その映像をニュースで見た人もいるだろう。ブチャが占領されたのは３月５日から３月30日までで、市内の路上には一時、ロシア軍の銃撃や砲撃で殺された人々の遺体が放置された。戦争中であっても軍隊が無防備の民間人を殺すのは国際法違反だ。国連が調査に乗り出し、ブチャ市民73人のロシアによる殺害を認定、１０５人の殺害について調査中であると発表した（２０２２年12月7日、国連人権レポート）。また、その影響で西側諸国やウクライナ国内では、ロシアに対する批判的な世論が決定的に強まった。

友達が殺された理由が分からない

幼馴染みがロシア軍に拉致され、殺された。

57歳の大学教員ロマン・ベスメルトヌイさんは「その日」を思い出すと、苦しさが胸に込み上げる。

２０２２年3月27日。ロマンさんは、ブチャと同じくキーウ近郊にあるキーウ州モティジン村の出身で、その日は母親のいるモティジンの実家にいた。ロシア軍が村を占領してからちょうど1カ月目の日だった。ロマンさんは知人の村人から電話を受け、「イホールが遺体で見つかりました。妻と子供も一緒です」と言われた。

モティジン村でのロシア軍による虐殺について証言するロマン・ベスメルトヌイ氏。

イホール・スヘンコさんは、ロマンさんの子供の頃からの親友だ。同い年で、小中学校と同じクラスで机を並べた。その妻オリハ・スヘンコさんはモテイジンの村長。一人息子はプロのサッカー選手。村では知らない人のいない一家だった。

村人の話によると、三人は松林の中にあるくぼ地に投げ捨てられ、身体の半分が地面に埋まった状態だったという。なぜロシアがそんなことをしたと思いますか。理由はなんだったのでしょうか。こう尋ねると、いすに腰かけたロマンさんはテーブルに視線を落とし、息をのみこんだ。表情が硬くなり、苦悩の色が浮かぶ。それでも、数秒沈黙した後にゆっくりと口を開いてくれた。

「私は、その質問に対する答えを持っていません。推測することは可能です。しかし、理由は知りません。実際のところ、理由なんてなかったのではないかとも思います」

推測と言うが、どんな理由が考えられるのだろう。

「イホールの妻で村長のオリハがウクライナ軍と連絡を取り、なんらかの情報を提供していたということだったのかもしれません」

オリハさんらの遺体が遺棄されていた現場の写真は世界のメディアが報道した。しかし、イホールさんの遺体に関しては村人の話とは異なり、村内のマンホールの穴の中に放り込まれていたという。ウクライナのメディアは、彼の首や左脇、腹にかけて大きな赤いあざができている写真を報道した。また、イホールさん一家が殺される前に拷問を受けていたとも伝えた。

ロマンさんはイホールさんへの拷問について、村で何か聞いたのだろうか。

「いいえ。後になって人づてに聞きました。３月末に村が解放されてから２週間後、４月中旬頃です」

続けて、一家虐殺に至る過程を時系列を追いながら話してくれた。

「私はロシア軍にモティジン村が占領される前日の２月26口、村の実家に戻りました。母親が心配だったからです。戦闘が始まり、ウクライナ軍が退却すると、ロシア軍がやってきました。彼らは村人を見つけるとすぐ発砲した。怪我をした女性の村人を運ぶ救急車をロシア軍が撃ち壊したこともありました」

村では何人が亡くなったのだろうか。

「正確には分かりませんが、イホールは『12人ほど』と言っていました」

女性や子供はすでに避難していたものの、村には60代から80代が中心の約３００家族が残っていた。

ロシア兵の「貧しさ」が原因なのか

３月中旬になると、ロシアの占領軍は物資不足に陥り、村人の家々を訪れては物を盗むようになった。特に燃料が切れ、ガソリンを取るために車などがターゲットになった。ロマンさんの自宅にもロシア軍はやってきたという。

「最初に私の家にやってきたのは、18人前後の集団でした。そのうち、白人のスラブ系は2人だけで、モンゴル系の民族であるブリヤート人など少数民族のほうが多かったです」

モティジンを含むキーウ州を占領したロシア軍は、日本に近いロシア極東から派遣された部隊だった。ロシアは百数十の民族からなる多民族国家だ。中でも、極東はモンゴル系など日本人に顔だちが似た東洋系の民族も少なくない地域。そこから列車で6000〜8000キロ運ばれてきた兵隊たちがモティジンを占領したのだ。ロマンさんの目撃証言は、その事実と合致する。

「庭にあった私のアメリカ製フォード車が盗まれました。リュックに入れていた現金も持っていかれた。ほかの村人からは、洗濯機などの家財を盗まれたとも聞きました。

実家には井戸ではなく水道が引かれていましたが、ロシア兵の中には『なんで、家の中で水がくめるのだ』と聞いてきた者もいましたし、『鶏をケージに閉じ込めて飼うのはなぜか。放し飼いのほうが鶏も自由だし、自然ではないのか』と話す兵もいました。井戸しかないような貧しい地域に住む兵士たちだったのでしょう。モティジンのほうがロシアの故郷より生活水準が高いと感じた兵士がたくさんいたのです。だから盗みが横行したのでしょう」

彼らはロマンさんの実家に何度もやってきた。さらに、銃を突きつけられたこともあったという。

「『壁に向かって立て』と言われました。恐怖はまったく感じなかった。なぜかは今でも分かりません」

ロシア兵たちは銃を手に、「皇帝はどこにいるのか言え」とその所在地を尋ねてきた。

「私は『皇帝』が誰なのか分からず、知らないと何度も答え、ウクライナに皇帝はいないとも説明しました。でも次第に『皇帝』が誰かを指す隠語で、ウクライナ軍の部隊指揮官のことではないかと思い至りました。彼らにとっては重要な敵だったのでしょう。私がその指揮官を納屋《なや》などにかくまっていると疑っていたようでした」

　数日後、ロマンさんは同じように襲われた。しかし、「知らぬ、存ぜぬ」と言い続けると、兵士たちは引き揚げ、次にやってくることはなかったようだ。

　一方、兵隊たちがイホールさんを狙っている可能性もあった。彼は村長である妻とともに、村人に村外から調達した食料や薬を配っていた。占領軍にとって目立つ存在だったのだろう。

「イホールが、拉致される直前の3月22日に家に来たので〝皇帝〟の話をしました。すると、イホールは『兵隊が捜しているのは自分だと思う』と言ったのです。その可能性もあると思い、彼に私の家に来るように勧めました。目立つ彼が自宅にいるのは危険すぎる。我が家でかくまおうと思ったのです」

　しかし、その夜遅くからイホールさんは電話に出なくなった。翌日も、翌々日も同じだった。おそらく、一家はその時すでに拉致されていたのだろうと推測される。

生死を分けたスマホ

イホールさん一家が命を落としたのは「スマホの中身の消去」をしなかったせいではないか――。ロマンさんはこう考えている。ロマンさんは、スマホの束を手に持つロシア兵を村で何度か見かけていた。

「村人から没収したスマホでした。ロシア兵はスマホの中を調べるのです。ウクライナ軍と関係を持っていないか、情報を提供していないかを確かめているのです。それは通話記録だけでなく、メッセンジャーなどのアプリや、撮影した写真も見ます。ロシア軍の部隊の位置情報が伝わっていないか懸念していたのでしょう。それは徹底していました」

そこで、ロマンさんはスマホで通話するたびにその記録を消去した。アプリの中身は、風景写真だけ残した。そのおかげか、ある日、ロシア兵がロマンさんのスマホを調べた時は難を逃れることができた。「なぜ軍用車の写真がないのだ」「ウクライナ人なら撮っているはずではないか」と詰め寄るロシア兵に、ロマンさんは「関心がない」と答え、その場をしのいだ。

しかし、一度「殺される」と覚悟したことがあった。致命的なミスをしたという。それは、兵士がロマンさんのスマホを調べ、その通話記録に「ダニロフ・アレクセイ」という名が表示された時だった。

ダニロフ氏は、戦争の方向性を決める「国家安全保障・国防会議」という国の組織のリーダーであり、政府の戦争指導者の一人だ。ロマンさんは彼との通話記録を消し忘れていた。ばれてしまったら銃殺されるのは間違いない。そう、ロマンさんは思った。

「その兵士は、ダニロフを知りませんでした。彼が政府高官だと理解できなかったのです。命が助かりました」

ロマンさんは大学教員になる前は、ウクライナ政界の中心にいた人であり、１９９７年からの5年間、当時の大統領の首席補佐官を務め、２００５年には副首相に就任。モティジンを選挙区とする国会議員でもあった。そして今も、ダニロフ氏をはじめとする政権中枢とのパイプを持っている。ロマンさんの背景を知っているイホールさんからは、ロシアの占領中にウクライナ軍の解放作戦に関する政府への働きかけを頼まれることもあったそうだ。

「私がキーウ政権にコネクションを持つことを知っていたので、『ウクライナ軍がモティジンに反攻してこないよう、キーウを説得してくれ』と私に頼んだのです」

その理由は、イホールさんが、村人がロシア軍の人質のような立場に置かれていると感じていたためだという。もしウクライナの解放軍が村に入ってきたら、その瞬間にロシア軍が村人を皆殺しにする、とイホールさんは恐れていたのだ。

イホールさんのことを思い出したのだろうか。ロマンさんは、再び視線を私からそらし、「心が痛みます」と小さな声で言った。

凄惨な光景が広がったブチャ

モティジン村以外の町でも大量虐殺の跡が発見された。死者がとりわけ多かったのが首都の北西にある町ブチャである。

後ろ手に腕を縛られたうつぶせの遺体、自転車で走っているところを撃たれ、その下敷きになった遺体――。３月某日、ブチャ南部の「ヤブロンスカ通り」では遺体が散乱していた。

４月はじめには、ウクライナのＳＮＳにその模様が投稿された。メディアも現地入りし、その画像は世界をかけめぐった。

私は、ブチャを訪ね、住民に「身の回りで何が起きたのか」を尋ねた。話してくれたのは、明るい雰囲気をまとった36歳のミコラさん。市の中心部に新築された公民館で、私はミコラさんとテーブルを挟んで向かい合った。

「僕は、ロシア軍の本格侵攻が始まって4日目の2月28日に、市中心部のスーパーマーケットに行きました。ブチャでは、その頃すでに戦闘が始まっていました。ただ、スーパーは市民が買い出しできるよう、まだ開いていたのです。その出入り口のそばには遺体となった市民数人が横たわっていました」

駅の近くでは、焼け焦げたロシア軍の車両も見かけたという。彼らは戦闘の巻き添えになったのではないか、とミコラさんは話す。

ミコラさんはブチャから避難はできなかった。寝たきりの年老いた父親がいたためだ。3月にロシア軍の占領が始まった後も団地の自宅に残った。

「死んでしまった人の遺体がたくさんありました。自分がそうならなかったのは、幸運だったとしかいいようがありません」

占領2週間目の3月19日には、自分の住む団地の中庭にロシア軍の砲弾が着弾。そこにいた若い女性が破片を浴びて亡くなった。団地の隣の部屋に住む人だった。ミコラさんは団地の地下壕へ隠れたという。

「とにかく怖かった。恐怖心で極限状態でした。町が１００％占領されたのです。街路に横たわったままの遺体を市民が引き取ろうとしても、ロシア兵が射撃するので困難でした」

ロシア軍の攻撃から身を守るため、地下壕で暮らし続ける人々がブチャでは多かった。ミコラさんもその一人。やはり地下壕に避難した、ブチャ中心部の団地に住む53歳のニコライさんを紹介してくれた。彼もまた穏やかな感じの男性だった。

ニコライさんは私を団地へ招いた。団地には隣接して地下壕もある。ニコライさんは、その銀色のトタン板でできたドアを指さした。小さな穴が、そこには無数に開いていた。

「これはロシア軍が銃撃し、弾が貫通した跡です」

彼は、ロシア軍の占領が始まるとすぐに、ほかの住民とともに地下壕へ逃げた。入り口の前には、ロシア兵が見張りのために常に二人ほど立っていた。気まぐれで銃を発砲したこともあったという。弾が貫通した穴はその時のものだ。兵士は気分次第で外に出してくれたり、出さなかったりしたようで、外にある井戸に行けないことも多かった。水汲みができず、地下壕の天井にあった水道管から漏れる水を貯めて煮炊きしたこともあった。

ニコライさんはスマホも没収された。外と連絡が取れなくなったが、地下壕に入って２週

ブチャ市の集合住宅にある地下壕入り口（上）。この付近にロシア兵たちが見張りに立ち、出ようとした住民を射殺したという。たくさんの銃弾痕が地下壕入り口の壁にはあった。住民10～20人が隠れたブチャの集合住宅の地下壕（下）。水不足に苦しんだ。近くの井戸に行く時も「見張り」をするロシア兵の許可が必要だった（中央はニコライさん）。

間後、人づてに「遺体があちこちにある」との話が伝わってきた。地下壕にいた女性たちの中には悲鳴を上げたり、ヒステリーを起こす人もいた。最年長だったニコライさんは「君に罪はないよ」と声をかけ、落ち着かせるよう努めたという。

インタビューで彼は「今、生きているのが奇跡のように感じられます」と話した。

ゼレンスキー大統領の見解

ブチャの事件について、ゼレンスキー大統領はどんな見解を示したのか。

大統領は、ブチャの虐殺事件が明るみに出た日の夜、ウクライナ語でロシア批判の演説をしたが、途中で自分の母語であるロシア語に切り替えた。ロシア兵士の母親たちが自分の話を聞いて、少しでも戦争反対の方向に気持ちが傾くことを期待したのである。

> 私は、すべてのロシア兵のすべての母親に、ブチャで殺された人々の死体を見てほしい（中略）。自転車で道を走っていた（ウクライナ人）男性がいったい何をしたというの

か。ごく普通の平和な都市に住む、普通の市民を死ぬまで拷問したのはなぜか。

（2022年4月3日　ウクライナ大統領府HPより）

演説はウクライナ語に切り替わり、今度は国民に訴える。

ウクライナの人々よ！　覚悟してほしいことがある。いくつかの州で敵を撃退したが、他州ではまだロシア軍の占領下の地域が残る。そこから占領者を追い出した後には、さらに恐ろしい事態が明らかになるだろう。それは、さらなる死と虐待だ。

（同演説）

ここで、「なぜ、ロシア兵たちはこのような行為に及んだのか」という疑問がわいてこないだろうか。その理由をめぐり、ゼレンスキー大統領はルーマニアの国会でオンライン演説し、次のように説明した。

二つの答えがあります。（中略）誰がウクライナ人虐殺とウクライナ国家抹消の計画を作ったのか。それは心のねじ曲がった人々です。現実離れしていて、狂った理想を実現するためなら何百万人もの命を犠牲にして構わない人々です。二つ目の理由は、（中略）ロシアの最高責任者たちが「欧州のリーダーは弱いだろう、指導力に欠けるだろう」と確信していたためです。

（２０２２年４月１日　ウクライナ大統領府ＨＰより）

大統領によれば、ブチャ事件が起きた理由は、ロシアの指導者たちの頭脳が非合理的であり、またロシアは欧州が弱腰でウクライナを支援することはないだろう、と見込み違いをしていたからということだ。

拉致、拷問が横行した理由

私は、ゼレンスキー大統領の答えは正しいと思う反面、抽象的すぎる印象も受ける。大統領の役割は、国内では国民の団結を促し、対外的には国の立場を強めることなので、ブチャ事件を起こしたロシアを強い言葉で批判するのは当然だ。一方、「現実離れ」「狂っている」といった言葉では説明しきれない闇が、拉致や尋問、拷問という行為の奥底に広がっているのではないだろうか。

私は「なぜロシア人は残虐行為をしたと思いますか？」と、市井のウクライナ人に会うたびに尋ね、数十人から答えを聞いた。興味深かった答えの一つは、「ウクライナを侵略したロシア人たちが、モスクワなどの都会からではなく、貧しい地域の出身だったから」というものだ。実際、キーウ州のロシア占領軍は、極東のほかロシア南部のイスラム教徒といった、ロシアで所得水準が最低の地域に住む兵士でも構成されている。

ただ、そうした貧しさは「盗み」の理由にはなるが、「拉致・尋問・拷問」の説明にはならないだろう。では、何がロシア兵をそんな蛮行に向かわせたのか。質問して回った中で、一番多かった答えは「分からない」で、先ほどの元副首相であるロマンさんもそう答えている。また、同じ趣旨で「ウクライナ人でなく、ロシア人に聞いてくれ」という人も多かった。

より具体的な意見として「何をしても罰せられないという感覚」を挙げる人々もいた。侵略者であるロシア人が、殺人や拷問をしても罰せられないと感じているという見方だ。

それは、ロシア兵が「ウクライナ人は極右思想に染まっていて危険だ」との感覚を、クレムリン（ロシア大統領府）の宣伝で植えつけられているのが原因だという。ここでいう極右思想とはネオナチズムのことで、つまり「ナチス主義者は殺してかまわない」という感覚がロシア人の間で広まった、というのである。そうしたロシア人たちのことを、「洗脳されたカルト集団」と呼ぶウクライナ人も複数いた。ただし、私自身はウクライナでの取材中、一度もナチスに賛成する主張を人々から聞かなかった。

拉致や尋問の理由について、真実は実際に経験したウクライナ人に聞かないと分からないのではないか――。私はそう考え、ウクライナ南部へ行く準備を始めた。南部には、地元のジャーナリストで、２０２２年３月にロシア軍の人間に拉致され、９日間にわたって監禁、尋問、暴行を受けたオレフ・バトゥーリン記者がいる。彼に、実際に監禁された場所を案内してもらい、その現場の様子を取材したいと思った。

リスクをどこまで取るか

ただ、キーウからウクライナ南部へは鉄道が通っていたものの、行くのには危険が伴った。

「絶対、行かないほうがいい。あなた、死にますよ」

以前からの知り合いであるウクライナ人ビジネスマンのＡ氏に相談すると、このように反対された。私が会いたいバトゥーリン記者がいるのは南部のヘルソン州。しかし、そこは戦闘が終わったばかりで、戦況はまだ不安定だった。

「ドローンが上空からあなたを見つけるのは簡単です。見つかったら、大砲や銃で攻撃されますよ。日本人が一人、死体で見つかったというニュースを私は聞きたくない」

両軍が多くのドローン兵器を飛ばし、敵が隠れている場所を見つけたり、攻撃したりしているのは、これまでの武力紛争とは異なるこの戦争の大きな特徴だ。ドローン兵器は安価なので、両国とも大量に投入している。

Ａ氏の心づかいは本当にありがたかった。一方で、南部ヘルソンにいるバトゥーリン記者からは、ヘルソンは安全だという異なる情報も届いていた。彼とは私がまだ日本にいる時、ＳＮＳ上で知り合った仲である。私がウクライナ入りしてから、彼はほぼ毎日、ＳＮＳで私に情報を送ってきており、「ヘルソン市は危険ではありません。欧州の記者たちもヘルソンに入っています。早く来てください」と誘われた。

迷っているうちに、夕食の時間が近づいてきた。私はＡ氏が紹介してくれた女性とともにキーウ市内の民族料理店に行った。南部戦線に比べると首都キーウは平穏で、本当に戦争が行われているのかと思う場面もしばしばあった（詳しくは第7章）。特に、市内のレストランの多くは営業しており、味もすばらしい店が多くて、戦争のことを忘れそうだった。

おいしい料理を食べるうち、私はふとA氏がかつて言っていた言葉を思い出した。A氏は「ウクライナは美人も多いし、料理もいいし、本当に魅力的な国なのです。戦争さえ早く終われば、観光客も戻ってくるのですが……」と話していた。私も同じ意見だった。

熟考の末に……

食事を終えた私は彼女と別れ、借りていたアパートの一室に戻り、ノートパソコンを開いた。ネットで調べると、キーウからヘルソン市への列車は、戦闘の終結に伴って運行を再開していたものの、乗れるのはヘルソン市民に限られていた。そうなると、ヘルソン市には、中継地となる南部のM市まで行き、そこからタクシーなどの車両に乗り換えて行くしかなさそうだ。

とりあえず、南部の中でも比較的安全なM市まで行ってはどうか。そこから先は現地で考えればよいのではないか。そう思い、翌朝、キーウ駅へ向かった。しかし、列車の運行状況を知らせる電光掲示板にM市行きの列車がない。私は、通りかかった60代くらいの小柄な女性に助けを求めた。

彼女は「M市行きのマイクロバスならあるはずです」と言って、わざわざバス乗り場のあるところまで連れて行ってくれた。ところが、乗り場には行き先を示す標示板がなく、マイクロバスがただ雑然と並んでいる。女性はいろんな人に尋ねてくれて、ついに「30番」と書かれた看板のある場所に行けばM市行きの切符を買える、と聞きだしてくれた。

駅で出会ってから、すでに1時間以上が経過している。彼女は宮崎駿のアニメに出てくるような鉤鼻《かぎばな》をしていた。また、寡黙でこちらから話しかけても会話らしい会話が成立しなかった。なぜ、ここまで親切にしてくれるのだろう。感謝と不安が入り混じった複雑な心境だった。

さらに15分後、やっとキオスクのような建物の30番切符売り場が見つかった。「翌朝10時に出発します」とバス会社の男性に言われ、私は予約の切符を買い、借りていたキーウ市内のアパートへ戻った。

切符を買い、ヘルソン市に向けてＭ市へと行く準備は万全。ただ、アパートの部屋の中でまた私は悩み始めた。ヘルソン市内はある程度安全だったとしても、問題はＭ市からヘルソン市までの道中が安全かどうかだ。ＳＮＳでバトゥーリン記者に尋ねると、Ｍ市から出るバスの時刻表を写真で送ってきた。しかし、今日の経験から私一人ではバスは当てになりそうもなかった。

どうやって紛争地で安全を確保したらよいのか――。私がかつて紛争地を取材した時は、現地の事情に詳しい地元のガイドを雇ってその意見に従った。それが危険な紛争地取材の鉄則である。しかし、新聞社を退職してフリーランスになった今、ウクライナ人のガイドを雇うだけのお金がなかった。ガイドは、通常ジャーナリストとして長年働いた経験豊かな人で、ウクライナで雇えば１日数万円はかかる。私はロシア語を話せるので、通訳も雇っていない。ウクライナでの取材中、私はほとんど独りで行動していた。

悩みに悩んだ末、最後に私はキーウに残ることに決めた。やはり一人で行くのには、リスクが大きすぎる。貴重な現場写真を撮ったり、話を聞いたりできるかもしれないが、身の安全に確信を持てなかった。

送られてきた監禁施設の写真

「私が監禁された施設の部屋です」

キーウに残った私のスマホに、バトゥーリン記者がＳＮＳを通じて監禁されていた施設の部屋の写真を送ってきた。私の滞在中、ウクライナ軍は監禁施設のあったヘルソン市一帯をロシア軍から奪還していた。そのおかげで、バトゥーリン記者は、自分が監禁されたヘルソン市内の〝施設〟を再訪でき、その写真も撮ることに成功したのだ。

写真撮影をはじめとする取材の仕事をしていた彼に連絡を取り、電話で話を聞いた。実際にロシア軍により拉致・監禁を受けたバトゥーリン記者。どのように拉致され、また監禁施設にはどれくらい拘束されていたのだろうか。

「私が住んでいたウクライナ南部のヘルソン州は、２０２２年2月24日の侵攻直後から、ロシア軍の占領が始まりました。3月12日、ヘルソン州カホフカ市にある自宅に私の友人から電話があり、近所のバス停に呼び出されました。ただ、行ってみるとなぜか友人はおらず、軍用車両が止まっていて。そこから緑色の軍服の男たちが出てきて、頭にいきなり頭巾《ずきん》を被せられました。さらに後ろ手に両手を縛られもしました。押し倒されて、車両に乗せられ、どこかへ連行されました。

そこでは『尋問』を受けました。兵隊に殴られて肋骨が折れ、息も苦しくなりました。さらに、すぐ州都のヘルソン市へ移送されると、そこではしばらく監禁されたのです。それはヘルソン市内にいくつかある『拷問施設』の一つでした。解放されたのは３月20日になってからで、９日間ほど拘束されました」

自分の監禁された部屋は見つけられなかったが、バトゥーリン記者は同タイプの部屋の撮影に成功した（2022年11月撮影）。バトゥーリン記者提供。

電話で話を聞きながら、私は、尋問や監禁についてはその様子を図に書いてもらったりしながら説明を受けたほうが分かりやすいだろう、と思った。そこで、バトゥーリン記者に「あらためてインタビューしたい」とお願いし、後日、ヘルソンから逃げて引っ越した先の彼の住まいを訪ねた。

ソ連の〝国旗〟を掲げて脅す監禁者たち

バトゥーリン記者の避難先の住まいはウクライナ西部にあるリビウ市にあり、家の中にはあまり家具がなかった。南部のヘルソン州から命からがら逃げてきたからだろう。客間にはテーブルもない。私は彼といすに座って向き合い、ロシアによる尋問の詳細について、インタビューの続きを始めた。

「私の住む町の隣町であるノバカホフカ市の市長室に連れ込まれました。頭巾が外されると、目の前には二人の男が立っていました。一人は地元のレオンチェフという名の親ロシア派のウクライナ人協力者。もう一人はウクライナ東部のドネツク州から来た人で、いずれもロシアにシンパシーを持つ男たちでした」

この市長室はバトゥーリン記者には馴染みがあった。地元の新聞記者として何度もここで市長に会い、インタビューしたことがあったという。

「でも、市長はすでに拉致され、ここにいないと気づきました。赤い旗が2本、市長室の内部に掲げられていたからです。そんな旗は以前はなかったのです」

赤い旗の一つはソ連の国旗を模した真っ赤な旗だ。そしてもう一つは、ロシアにシンパシーを持つウクライナ人協力者が「勝利の旗」と呼ぶ、第２次世界大戦でソ連が勝利したことを祝う旗。それらが掲げられているのは、「ウクライナも20世紀に『加盟』して構成国だったソビエト連邦の歴史に学び、ウクライナをソ連的なロシア中心の国家に変えていこう」という意思の表れだった。

男の一人は「自分は、（ロシア軍が任命した）市の軍政代表だ」と名乗った。ロシア軍政下の市の「トップ」、つまりロシアが捏造《ねつぞう》した「市長」というのである。

バトゥーリン記者の背後では「死」を暗示する音が響いた。「ガチャ、ガチャ」という銃同士が擦れる音。複数の兵士が後ろにいるのは確実だったが、危なくて振り向けない。

さらに、レオンチェフら二人の男は殺害するそぶりも見せ始めた。バトゥーリン記者に二人は「トロイカという言葉を知っているな」と口々に言った。トロイカは、80年余り前、ソ連で使われた言葉だ。彼らは「クレムリンに逆らう者を消す」というスラングとして使った。トロイカはソ連の秘密警察、検察、共産党の代表の三者からなる粛清《しゅくせい》のための組織で、当時、数十万人が処刑された。

バトゥーリン記者は「赤い旗、そしてソ連の独裁者による処刑の言葉。シュールレアリズムの世界じゃないか」と感じた。ここで言うシュールレアリズムとは、21世紀の現実とかけ離れた「異次元の世界」という意味だ。ほかにも、二人の男の口からは「銃殺する」「裁判にかける」「死ぬ準備をしろ」など、脅し文句が相次いで繰り出された。

幸い、この非現実的な〝異次元世界〟での滞在は数時間で終わり、死なずにすんだ。ところが、それだけでは終わらない。バトゥーリン記者を「現実の暴行」が待ち受けていた。

ロシアによる「尋問」の実態

私は「肋骨を折られた時、どんな状況だったのですか?」と尋ねた。すると、バトゥーリン記者は「その前に、私が続いて受けた次の『尋問』のことを話しましょう」と答え、語り始めた。

「市長室で、私は再び頭巾を被され、両手を縛られました。誰かが『連行しろ』と言い、私は市長室の隣の部屋に移されたのです。両膝を床につく格好で座らされました。私は声を出すことができませんでした。そこで『のどが痛くてよくしゃべれない』と言うと、彼らがソーサーに水を入れてもってきて、私はそれを飲みました。その後、彼らは大声で怒鳴り始めたのです」

彼らは「三人のファシストの名前、姓、電話、住所を言え」と言った。バトゥーリン記者が「ファシストとは誰ですか。知りません」と答えると、彼らは「反ロシア軍の集会をウクライナ人がここでやっているだろう。その組織の人間だ。それからウクライナ軍人だ」と言って、「早くしろ、早く、早く」と何度か叫んだ。

バトゥーリン記者は危険を感じ、ロシア軍の侵攻前に西欧へ逃亡して安全圏にいる知り合いのウクライナ人の名前を挙げた。しかし、彼らの住所や電話は知らなかった。彼らは「住所だ！　電話だ！」と何度か叫んだ後、「銃殺するぞ」と言った。そのまま20分ほど罵倒され続けると、バトゥーリン記者は市庁舎から外へ連れ出されることになった。

「連れ出される際、市庁舎の中から、地元の市民がロシア軍に暴行されて叫ぶ声が聞こえました。『ああ、自分だけじゃない。ほかにも何人か市庁舎に拘束されているのだ』と分かりました」

拘束された人の多くは、ロシアの占領に反対する集会に参加したウクライナ人だった。この２０２２年3月当時、南部ヘルソン州の各地で、そうした大規模な集会が開かれるように

バトゥーリン記者が拉致された際に乗せられた車両と同タイプのもの（ヘルソン州で撮影）。バトゥーリン記者提供。

なっていた。ロシア軍はそれを鎮圧しようと懸命になっていたのだ。

「私は、市庁舎の玄関前でロシア軍の軍用車に乗せられました。一緒にいたのは数人のウクライナ人です。そのうち若い青年が殴られていました。彼は『やめてください』と懇願していましたが、軍人は『おまえは反対集会に参加していただろう』と言って暴行をやめませんでした」

暴行の鉾先《ほこさき》はバトゥーリン記者にも向かった。

「ロシア軍人は、銃の床尾《しょうび》で私の胸や脇腹、足を殴りました。拳《こぶし》でも殴ってきました。胸が痛くて息はしづらくなり、話すのも難しくなりました。その時、胸以上に痛かったのは手首で、縄ですごくきつく縛られていたのです」

バトゥーリン記者の胸の痛みはずっと続いた。この時、肋骨が4本折れていたのである。

彼はロシア軍の暴力を示す証拠として、手足に受けた傷や、手首を縛られた痕の写真も提供してくれた。

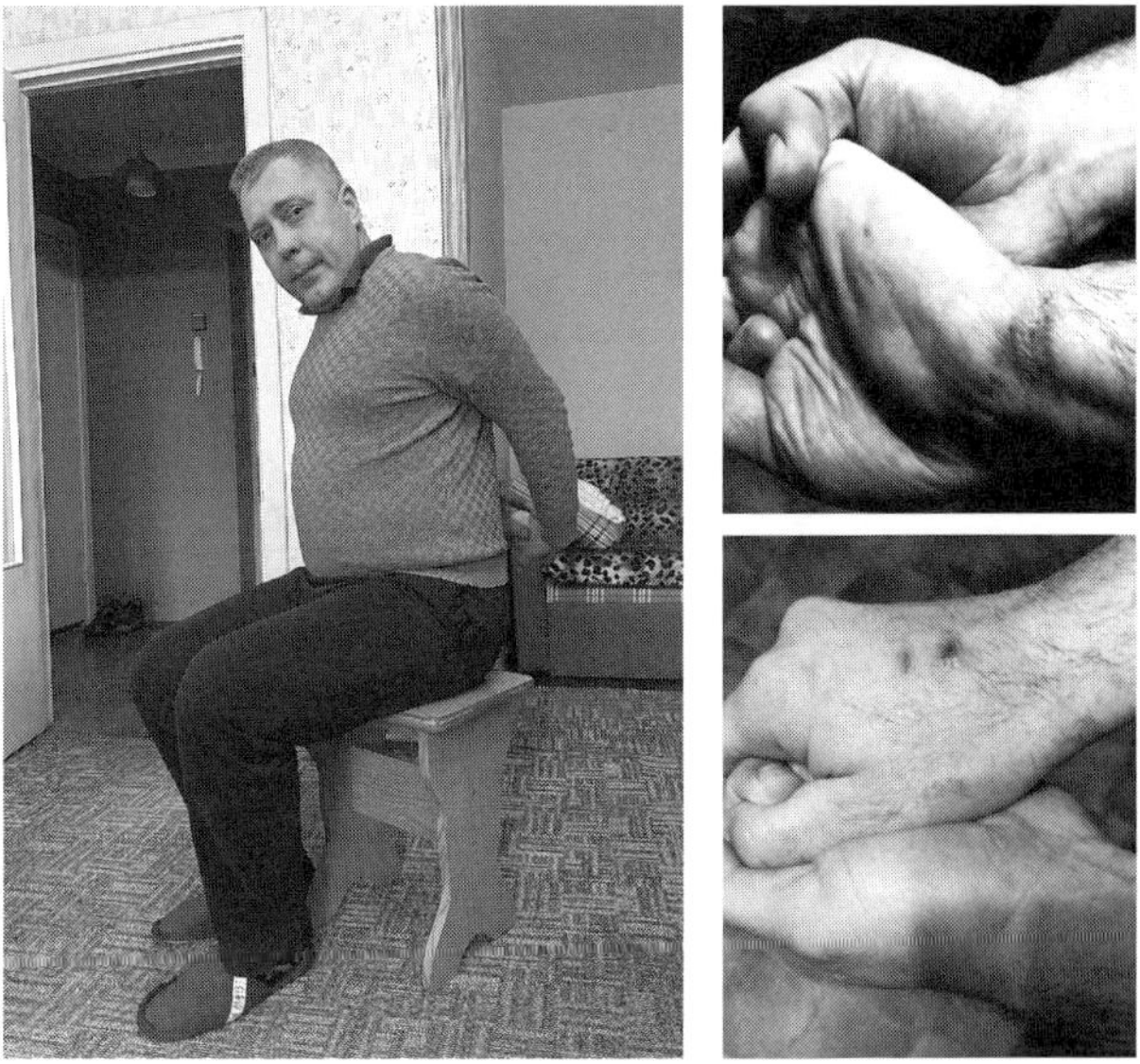

ロシアの侵攻当初、バトゥーリン記者はロシア兵に拉致されて９日間ほど監禁された。左写真の通り、後ろ手に縄できつく縛られたという。その後傷跡はしばらく経っても消えず（右上）、手や足には銃などで殴られた時の傷も残っていた（右下）。手の傷に関する２枚の写真は、バトゥーリン記者提供。

悲鳴が響く「拷問施設」で

怪我をしたバトゥーリン記者は市庁舎での尋問の後、軍用車に乗せられて州都ヘルソン市内の施設へ移された。病院に立ち寄るなど、バトゥーリン記者の怪我を治すような配慮はなかった。

「私は独房に入れられました。ただ、そこで私は暴力を受けることはありませんでした」

それは3階建ての建物で、1階と2階にウクライナ人が収容された。ほかの部屋からは、暴力を受けるウクライナ人の悲鳴が聞こえ、ロシア兵が、収容されたウクライナ人を脅かしつける声も聞こえた。

「いつ自分もひどい目にあい、殺されるか分からない。そう思うと、夜も眠れませんでした。それは『心理的な拷問』でした」

バトゥーリン記者がそこにいたのは8日間。何もされずに放置された。「そのため、かえって恐怖が増しました」という。そして突然、解放された。なんの説明もなく解放されたのは、なぜだったのだろうか。

「ロシア軍は、法的プロセスも人権問題も無視して虐待をしているので、説明もできないというのが理由でしょう。彼らの狙いは、監禁や殺人によって市民を脅し、自分たちに服従させることなのです」

バトゥーリン記者は解放された後、自家用車で家族とともにロシア軍の占領地を走り抜けた。ロシア軍の検問所近くで銃撃されそうになりながらも生き延びて、避難先である西部リビウ市にたどり着いたという。彼は今もジャーナリストとして戦争犯罪を取材し続け、ネット上の記事で告発している。「ウクライナ南部で最も多い被害は拉致です。ヘルソン州だけで１６０人が行方不明になっています」と話す。

ウクライナ人を団結させているもの

ヘルソン州で、バトゥーリン記者が収容されたような「拷問施設」は20カ所以上見つかっている。ジャーナリストのほか、政治家や公務員、教員などが拉致され、ロシア側はそうしたウクライナ人に対し、電気ショックを与えたり、水責めにしたりしている（国際司法チーム「Mobile Justice Team」調べ）。また、ウクライナ北東部のハルキウ州や東部のドネツク州でも、同じタイプの施設があることが報告されている。

第1章では、「敵と戦う人」「戦いから逃れる人」「避難する人」というふうに、ロシアの本格侵攻が始まった当初、ウクライナ人の行動や意識が多様だったことを見た。しかし、ロシア軍の占領を受けた地域を歩いてみると、残酷な行為があまりにも多く、ウクライナ人の間で「ロシアを許せない」という感情が強まっていることを知った。軍を中心にウクライナ国民がより強固にまとまりつつあった。

地下壕での避難生活にも大きな違いがあった。キーウ市やハルキウ市では10日前後で多くの市民が避難先から自宅へ戻ることができた。一方、ブチャではロシア軍の銃撃によって地下壕の扉は穴だらけになり、地下に隠れた人も殺された。

そうした違いがなぜ生まれたのか。それは、ブチャやモティジンはウクライナ軍が退却してロシア軍が一時占領したのに対し、キーウ市やハルキウ市といった大都市は、ウクライナ軍が領土防衛隊に参加した市民の支援も得て、守り切ったからである。

そして、軍が守り切れず、徹底的に破壊された地域もウクライナには存在していた——。

第3章

消滅した50万人都市

——そこでは何が起きたのか

２０２２年３月25日、ロシア軍参謀本部は、ウクライナ東部での作戦に集中する、と発表。ロシアは首都キーウの占領をいったん諦めた。そして、４月２日にウクライナ側は、北部キーウ州全域を奪還した。

ロシア軍参謀本部が主目標としたウクライナ東部の中では、「マリウポリの戦い」が焦点の一つだった。マリウポリ市は、ロシアが一方的に「併合」したクリミア半島と、親ロシア派勢力が一方的に「独立」を宣言したウクライナ東部地域との結接点にある。陥落すれば、ウクライナ東部と南部両地域を結ぶ、太いベルトのような形の占領地が形成されてしまう。そのため、マリウポリをめぐるロシアとウクライナ防衛軍の戦いは激化の一途をたどった。ロシアによる攻撃が激烈だった様子は、ゼレンスキー大統領の言葉からも伝わってくる。

> マリウポリには50万人が住んでいましたが、建物の90％がやられました。焼き尽くされ、なくなりました。
>
> （２０２２年３月27日　ロシアの独立系メディアの記者５人との共同インタビュー）

ロシアの攻撃により亡くなったマリウポリ市民は、東日本大震災の犠牲者数とほぼ同じ、

2万～2万5000人と推定されている。ただ、正確な犠牲者数はロシアの占領下にあるため分かっていない。

彼らが殺された時期は、侵攻初期の2カ月ほどに集中している。そこで何が起きていたのか——。私は考え込まざるをえなかった。そして、ある国会議員への取材中に「どのようにして、市民は亡くなったのでしょうか」と尋ねると、彼は生き延びた市民たちを紹介してくれた。

侵攻当日、仮初めの日常

インタビューに応じた市民たちは「当初、ウクライナ軍が市内にいるので安全だと思い込んでいた」と口をそろえる。地元テレビ局「マリウポリ・テレビ」の局長ニコライ・オシチエンコさんもその一人だ。キーウの喫茶店で私と向き合うと、もの静かな口調で語り始めた。

「ロシアの侵攻が始まっても、私はテレビ番組の放映を続けていました。ウクライナ軍がたくさんいるから大丈夫だ、という幻想があったのです。侵攻開始翌日、マリウポリ郊外の町

ニコライ・オシチェンコさん。

で砲撃があったのですが、そこへ記者を派遣してリポートもさせました。スタジオには警官などを招いて、『砲撃があった場合に隠れる避難場所』といった情報も視聴者向けに伝えていました」

　ロシア軍がマリウポリに砲撃しながら接近しつつあった２月中には、市外へ逃げる道もあった。まだマリウポリが包囲されていなかったからだ。

「市民の中にはマリウポリから見て西に位置するクリミア半島を目指し、自家用車で逃げようとした人もいました。しかし、侵攻６日目の３月１日頃、マリウポリの西部や東部でロシア側の地上軍の攻撃が始まりました」

　それでも、市民たちの中には避難せず市内に残る人が少なくなかった。

「最初の数日は、市の一部でゴミ収集車がゴミを回収してもいました。地域によってはかろうじて市民生活が営まれていたのです」

始まったロシア空軍の攻撃

市民生活の息の根を止めた要因の一つはロシア空軍だ。

「対地攻撃機のＳｕ-25などに襲われたのです。我々の対空兵器の多くは、それまでにロシアの砲撃を受けていて、機能しませんでした。そのため、爆撃を許してしまったのです」

ロシア軍機は3月2日以降、2時間に1度ほどの頻度でマリウポリのさまざまな施設を空爆するようになったという。なぜ、ここまで戦闘は激化したのだろうか。

「親ロシア派の人がマリウポリでは少なくありませんでした。私たちの取材によると、親ロシア派が侵攻の始まる前に、対空兵器の位置をロシアに教えてしまっていたようなのです。それで、ロシアの攻撃が容易になってしまったのです」

市民の命を支えるインフラも爆撃された。例えば、侵攻2週間目の3月9日には産科医院が爆撃され、焼け落ちた。ロシアは執拗に民間施設を狙ったという。

「ロシア軍は3月の初頭から、ウクライナ軍に『降伏勧告』をしていました。軍の士気低下を期待して、民間人を狙ったのでしょう」

その思惑通りに、ロシア軍の攻撃で士気が低下したわけではないだろう。だが、士気の問題以前にウクライナ軍はロシア軍の攻勢を退けられなかった。市内の上空にいるのはロシア軍機のみ。ウクライナ軍機は飛んでいなかった。ニコライさんは、次第に気をしっかり保つのが難しくなったという。

「水道が止まり、ひげを水なしで洗面所で剃っていた時でした。自宅近くに砲弾が落ち、壁が振動し、低いうなるような音がしました。私は本能的に洗面所から走り出て、居間に行ったのですが、そこにいた妻と子供も小走りで私のほうへ向かってきました。それから30分くらいの間に3回ほど砲撃があり、冷たい風が吹き込んできました。窓が砲撃の振動で割れたのです。避難するしかないと思いました」

その時点で通行可能だったのは、マリウポリ南部にある海沿いの道だけだった。ニコライさんはそこを通り、ウクライナ側が統治する西隣の州になんとかたどり着いた。

私は別れ際、ニコライさんにマリウポリ市に対する「思い」を尋ねた。

「マリウポリは製鉄の町です。避難民の多くも製鉄所の働き手とその家族。いつの日かこの町を取り戻せると信じています」

その製鉄所の一つが、この戦争で最も激しい攻防の場となった「アゾフスターリ製鉄所」

である。

製鉄所で始まった避難生活

アゾフスターリ製鉄所は市南部の海沿いにあり、90年の歴史を持つ老舗企業だ。１カ月の戦いの後、４月にロシア軍に包囲されて完全に孤立した。ウクライナ軍は、製鉄所に取り残されたウクライナ兵のための物資を運ぼうと、ヘリコプターによる市外からの空輸作戦も行った。ゼレンスキー大統領は、その決死の覚悟を次のように讃えている。

> 多くのパイロットが、アゾフスターリ製鉄所まで食料や水を運び、帰りには遺体や怪我人を収容しようとして（途上、ロシアに撃墜され）亡くなった。（中略）彼らは90％生還できないと知りながら、飛び立ったのだ。
>
> （２０２２年5月20日　ウクライナのＴＶインタビュー）

大統領の言う「パイロット」とは、軍用ヘリコプターで物資を空輸していたウクライナ軍人たちだ。マリウポリでロシア軍の地対空ミサイルに攻撃され、多くが生還できなかったのだ。

彼らパイロットが助けようとしたのは、軍人だけではなかった。製鉄所には大勢のマリウポリ市民も避難していた。巨大な鉄筋の建造物であり、中でも地下壕は安全だと考えられていたからだ。しかし、食料や水は次第に不足してゆく。光も射さない。避難者は追い詰められていった。

避難壕での暮らしはどんなものだったのか。私は、２カ月にわたりアゾフスターリ製鉄所にこもった製鉄所職員のイーゴリさんに話を聞いた。

「私は製鉄所で鉄の板などから不純物を取り除いて最終製品にする部署で働いていました。侵攻が始まった日も出勤しましたが、上司から『砲撃が始まった』と言われ、すぐ帰宅しました。侵攻７日目の３月２日には、自宅で『マリウポリがロシア軍に包囲された』という情報をネットで見つけました。私は、市から脱出できる可能性はゼロだと考え、製鉄所の地下２階の避難壕へ、妻と９歳の息子、そして２歳の娘とともに行き、避難生活を始めました」

侵攻前の朝までは自宅から駐車場まで歩き、自家用車に乗って通勤していた。しかし侵攻が始まると、駐車場まで歩くことすら難しかったという。

「ロシア軍の砲撃が激化していたのです。同僚に電話して、車で私の自宅玄関まで来てくれるように頼み、彼がピックアップしてくれました。

砲撃がすごくて、自家用車で逃げようとした市民がたくさん死んでいました。市外へ出る選択肢はありませんでした」

幸いにも、イーゴリさんは製鉄所までたどり着くことができた。

「私がいた避難壕は天井の高さが3メートルあり、広々としていましたが、簡易ベッドは50個だけでした。当初、そこに76人が詰めかけたので、一部の人は床などに寝ました。夜は室温が10度まで下がり、寒かったです」

その避難生活はすぐ行き詰まった。非常食が底をついたのだ。

そこで、煮炊き用の竈を外に設けた。しかし、砲撃される危険があり、外に出るのは命がけだ。トイレも屋外にあり、一緒に避難していたお年寄りの女性は、用を足しに行く途中に砲弾が近くに着弾し、怪我をしたという。

近づいてくる砲撃音

製鉄所に避難した民間人は数百人とも１０００人ともいわれる。これだけの民間人がいるのに、なぜ戦いの焦点になったのか。

その理由の一つは製鉄所の構造にある。巨大な鉄筋建造物が複数並ぶ「城塞」のような造り。迷路のように縦横無尽に走る内部の通路。ロシア軍は簡単に突入できなかったのだ。そのため、ロシアは空爆と砲撃を繰り返し、ウクライナ側がそれに抵抗する激戦となったのである。

イーゴリさんが避難したのは頑丈な5階建ての建物だった。

「昼間は、ロシア空軍に空から爆弾を落とされました。夜は、地上の大砲から砲撃されました。それがほぼ毎日です。静かな日はまれにしかありませんでした」

さらに、ロシア軍の砲撃は次第に自分たちのいる場所へ近づいてきたともいう。

「4月、私たちの避難壕の隣の建物が爆弾に直撃され、私たちのところも壁の漆喰《しっくい》が崩れました。ただ、頑丈にできていたので、幸い、怪我人は出ませんでした」

周囲の建造物が砲撃で次第に破壊される。イーゴリさんは気をしっかり保つため、砲撃にばかり気をとられないようにしたという。

「私たちが考えていたのは、日常のルーティーンをどうするかだけですよ。食事を作る、トイレに行く、体を水でぬぐう、子供のおしめをかえる。そうしたことを毎日繰り返そう、それで気をまぎらわせようと努力したのです」

イーゴリさんは、家族には「ポジティブに生きよう」と声をかけ、励ましてもいた。

新たな困難の始まり

一方で、ネガティブにならざるをえない噂《うわさ》が人づてに流れてきた。

ロシア軍は、製鉄所の中に民間人はいないと見ているという話を耳にしたのだ。

「その種の噂が避難壕で流れました。それは『ロシアが攻撃してくる理由は、ナチス主義者の軍人が製鉄所にいると彼らが考えているからだ』というものでした。そうなら、われわれ民間人は助からないかもしれない、と考えざるをえませんでした」

そして、懸念は現実のものとなった。およそ1週間後、イーゴリさんらの避難壕の建物が爆弾の直撃を受けたのだ。

「避難壕の出口は、潜水艦の上部にあるような丸い鉄製のドアだったのですが、それを開けると、その先の階段が崩れていました。ついに爆撃され、(次に避難壕が攻撃される前に)『どう外に出るか』の決断を迫られました。避難壕には、子供も、お年寄りもいたからです」

避難壕には通常の出口のほかに非常口もあった。しかし、その通路は垂直になっており、はしごを登らなければならなかった。お年寄りにそれは無理だった。結局、お年寄りや子供の手をひいて、瓦礫《がれき》となった階段の上をみんなで歩いて上り、地上に出た。2カ月にも及ぶ避難壕での生活が終わった瞬間だった。

「外に出た時、喜んだり、踊りだしたりする人は誰もいませんでした。私もなんの感情もわいてきませんでした。これからどうなるかも分かりませんでしたし」

一家は、ウクライナ側の統治下にある西隣の州へ移り、今はそこで職も得て暮らしている。最後に、彼に比較的安全な町に引っ越した時、どう思ったかを聞いてみた。

「まったく知らない町に移ったのです。それは危機の終わりでなく、困難の始まりです。やはりなんの感情もわいてきませんでした」

砲撃が絶えない非日常の中で

製鉄所は爆撃を受けたものの、当面の寝床は確保されていた。一方、市民の中には寝るところすら失ってしまった人々もいた。マリウポリ市役所の幹部で、キーウに避難中のディアナさんもその一人だ。彼女とはある料理店で会った。私は約束の時間に20分ほど遅れてしまったのだが、彼女とその部下の女性二人は、席で待ってくれていた。そして、遅れてしまった私にいやなそぶりもみせず、侵攻当時の状況を話してくれた。

「マリウポリが侵略されるとは、その日まで思っていませんでした。２０１４年にもロシア側がマリウポリに侵略を試みたのですが、その時はウクライナ軍が撃退してくれました。その記憶が頭にあったので、当初は、こんなひどいことになるとは思っていなかったのです」

今回もウクライナ軍が撃退してくれる。そんなディアナさんの思いとは裏腹に、市の東部ではすぐに戦闘が始まり、あちこちで炎が上がった。

「やがて、私がいた市中央の市役所でも砲撃音が聞こえ始めました。市長は自宅待機を命じましたが、私は部長なので出勤していました。部下に電話すると、ほとんどが市内にとどまっていることが分かりました。勇気づけられ、私も避難しないことにしました。実のところ、２、３日で戦闘は終わり、もとの生活に戻れると思っていたのです」

その見通しもすぐに外れてしまった。２月25日まで、市民を避難させる臨時列車がマリウポリからより安全なウクライナ西部へ向けて走っていたが、翌２月26日、列車はマリウポリの駅に止まったまま、出発できなかったのだ。

「それを聞き、『市がロシア軍に包囲される』と直感しました。出勤するのをやめ、子供たちと家にこもりました。しかし、買い物はしないといけない。外に出ると、店もガソリンスタンドもＡＴＭも長い行列ができていて、何時間も並びました。でも、私はその日になっても、人が住んでいる住宅まで爆撃されるとは思っていなかったのです」

ディアナさんの身辺に「死」が迫ったのは、侵攻から９日目の３月４日。自宅の隣の12階建ての集合住宅を、ロシア軍が砲撃したのだ。砲弾が直撃した住宅からは炎があがった。

「私は子供たちと居間にいたのですが、砲撃の衝撃波が我が家にも押し寄せ、窓ガラスがシャボン玉のような形にぷくっと膨れました。でも、かろうじて割れませんでした。ガラスの製造会社に感謝しました。彼らがガラスを頑丈に作っていたおかげで、破片が子供の上に降りそそがなかったからです。

私は自宅から、隣の団地の上層階に住む住民たちが下に降りられず、取り残されてしまったのを見ていました。砲弾が当たった部屋の付近に住む人々は、その場で亡くなったのではないかと思います」

砲撃をまぬがれたディアナさんの家も暖房が止まった。この夜の気温はマイナス10度。ディアナさんら一家4人は一つのベッドに入り、固まって寝た。互いの体を温めあってどうにか眠ろうとし、避難生活を続けようとした。

ただ、続いて通信も途絶え、スマホも使えなくなってしまった。市役所のほかの幹部とも連絡が取れない。「もう終わりだ」とディアナさんは思った。

「バッグに薬、懐中電灯とペットボトルの水を詰め、逃げる準備を始めました」

さらに、発電所が攻撃されて電気が途絶え、水道の設備もやられた。自宅の洗面所やトイレでは水が出なくなった。

「市内を給水車が走っていたのは最初だけです。それが止まった後は、勇敢な住民が、砲撃音に耳をふさぎながら、井戸まで戦車の間を走り、水をくんでくれました。おかげで市内の一部では臨時の給水所ができました。生きるためには、なにより水の確保が問題でした」

上空にはロシアの戦闘機が飛び、外出は危険だったが、勇敢なマリウポリ市民もいたのである。「危機に陥った時、その人の本性が現れる」というのは、マリウポリも例外ではなかった。

ただ、それはよい市民にだけ当てはまるものではなかった。店に侵入し、その品を盗む略奪行為に走る人々もいた。

「ショックを受けました。私の知り合い、それも知的な職業の人々が商店に侵入し、いろんな物を袋に押し込み、盗み出していたからです」

とはいえ、それはやむをえない面もなくはなかった。市民たちは、生きるための最低限の条件である「衣食住」をロシア軍の砲撃で奪われつつあったのだ。

マリウポリではないある南部の都市でも、商店の入り口には「警告抜きで射撃する」と書いた紙がはられていた。略奪した者は殺すという警告である。ただ、こうした行為を誰が非難できるだろうか。

ディアナさんが見た光景は、まさに地獄絵図のようなものだった。

灰になった夢と町

ディアナさんは、家の前の通りを逃げまどう人々の姿にショックを受けたという。パジャマ姿の人や、寒さをしのごうとタオルを体の上から巻いて歩く人。彼らは、自分の家がロシアに破壊されて住めなくなった人たちだった。どこでもいいからと、隠れられる場所を探していたのだ。

その原因を作ったのはロシア軍である。その頃すでにマリウポリ市を包囲し、建物を戦車で砲撃し、空から爆弾を落とし、町を破壊しつくそうとしていたのだ。

「私は、街をさまよう人々の姿を見て、『戦争の前線』が我が家に迫っていると思いました」

ただ、逃げるのも怖い。いつどこでロシア軍に射撃されるか分からない。

「せめて数日間だけでも生き延びよう」と、近所同士の助け合いが始まった。例えば、ディアナさんの隣人は、幼稚園で給食用に使っていた大鍋を路上に持ち出し、そこで煮炊きを始めた。それぞれが自宅の家具を壊して薪《まき》にし、大釜の下に積んで火をつけ、スープなどを作ったのである。

しかし、3月中旬にはそれも難しくなった。戦車が街中の通りを走り、砲撃がいっそう激しくなったのだ。

「私の町はロシアにすっかり壊されてしまいました」

ディアナさんは20年間、市役所でマリウポリの文化行政を担当した。

「ソ連時代の古ぼけた施設の多い町から、欧州的な明るい町に作り変えたのです。この6、7年で公園をきれいにし、市民ホールや図書館を建て替えました。伝統文化を生かした新しいお祭りもやり、そこに若者も参加しやすいよう工夫しました。町にやってきた人々に魅力を感じてほしかった。それにより経済的な投資も増やしたいと考えていました」

だが、その夢も町もすべて灰になってしまった。

マリウポリ劇場に広がった地獄

この市の文化の中心地も、ロシア軍の牙からは逃れられなかった。市の中心にあるドネツク州で唯一の劇場、マリウポリ劇場が3月16日に空爆され、崩壊したのである。

ロシアの爆撃で破壊されたマリウポリ劇場。写真：ロイター / アフロ

それは、数分から数十分のうちに数百人が死亡した虐殺だった。

私はウクライナで、劇場内部に避難しながらも生き延びた二人の市民を探し当てた。そのうちの一人は、マリウポリのスーパーで店員をしていた20歳のアルチョム・ショーミンさんである。

「雪のような白い肌の少女が、あおむけになっていました」

空爆直後に劇場内で見た光景を、アルチョムさんはこう振り返る。それは、劇場にできた瓦礫の上だった。そこに真っ白な肌の少女と両親が並んで横たわっていた。三人とも亡くなっていたという。どうやら、「マリウポリ劇場から避難バスが出る」と

マリウポリを生き延びたアルチョム・ショーミンさん。

いう誤った情報が街中に流れ、そのために劇場内に避難した人々だった。

アルチョムさん自身はその情報が流れる以前に、すでに自宅から劇場の地下壕まで避難していた。その経緯をこう語り始めた。

「侵攻が始まった2月24日、僕はスーパーで働いていたのですが、店の目の前の5階建てアパートが砲撃されました。次の瞬間、店が激しく揺れた。店長が閉店を決心し、僕は自宅に戻りました。劇場へ逃げた日、空を砲弾が飛び交っていました。途中の道路は壊れた家の瓦礫が散乱し、乗り捨てられた車が瓦礫となった家の塀の下敷きになっていました。僕が劇場へ避難した理由は、軍人の兄が市は包囲されているので、危ないと電話してくれたからです」

この劇場空爆は、非常に多くの人の命を奪ったとされている。

「（劇場にいたのは）最初60人くらいでしたが、『避難バス』の噂が流れた後、急速に増えました。しかし、ロシアの砲撃で避難は実現せず、人は次第に減りました。それでも、最終的には５００人くらいいたと思います」

そこへ、ロシア軍の爆弾2発が投下された。

「1発目は劇場そばに落ち、（地下壕からは）爆発音が聞こえました。僕は地下壕のさらに奥のほうへ行きましたが、その瞬間、2発目が劇場を直撃しました。僕がさっきまで座っていた場所のそばのドアが吹き飛び、壁には大きな穴が開き、ほこりが空気中に充満しました。1階にあがると、『痛い』『助けて』という声があちこちからして……。舞台袖《そで》だったところは、崩れたレンガの山ができ、そこから埋もれた人たちの手足が突き出ていました」

2発目の爆弾が直撃したのは劇場の中央ステージのあたりで、ステージは崩れ落ちた。ステージの上にも、その下の空間にもたくさんの人が避難していた。

「そこで死んだ人もいましたし、ステージ脇の俳優が待機する場所にも人がいたのです。ステージ正面の客席は爆撃後も残ったのですが、火事で燃えました。僕は、避難した場所が中央ステージから離れた場所の地下だったので助かったのです」

「3発目の爆弾が落ちるかもしれない」と考えたアルチョムさんは、劇場の外へ急いだ。

「その時、外に出られたのは、（約５００人中）50人くらい。劇場内では血だまりも、たくさん見ました」

無視された「子供」の警告

「『助けて』という声は、1分くらいで途絶えました」

アルチョムさんと同じ地下壕にいた、マリウポリ劇場の音楽監督ベーラ・レベジンスカヤさんは、私とのインタビューで、瓦礫の中から助けを求める人たちの声は長く続かなかったと思う、と語った。即死状態だった人が多かったようだ。音楽監督らしい独特の言葉づかいで、「その瞬間」を振り返った。

「戦闘機の飛行音がした後、『ヒュー、ヒュー』という音がだんだん大きくなり、頭上に何か落ちてくるのを感じました。そして、『タン』という音がした後、一瞬静けさに包まれると、直後に叫び声や『助けて』という声がしました。何がなんだか分からなくなりました」

ベーラさんは、「俳優の女の子たちがいない！」と、そばにいた男性に叫んだが、男性は「逃げよう。はやく」とだけ言った。ベーラさんが地下壕に連れ込んだ飼い猫の「ガービー」

もいない。その名を何度か呼んだが、見つからない。ガービーは空爆の直前、予感がしたのか毛を逆立て恐怖心をあらわにしていたのだが、こうなってはどうしようもなかった。

ベーラさんは、仲間や猫のことは諦めざるをえなかった。「死」が間近に迫っていた。パスポートなどの入った手提げ袋を一つだけ手に持ち、地下壕から地上へ通じる階段へと向かった。階段を上がると、踊り場には遺体が二つ横たわっていた。ほかの場所にも遺体が散乱している。外の気温はマイナス10度。劇場から逃げ出せた人たちはベーラさんも含め、簡単な衣服しか着ていない。みな震えが止まらなかった。でも、生きているだけでも幸運だった。

マリウポリ劇場での出来事を話してくれたベーラ・レベジンスカヤさん。

ロシア軍の空爆で、マリウポリ劇場は1階から3階まで崩れ落ちてしまった。無事だったのは、地下壕の一部だけだったという。

「私の命は、実のところ風前の灯だったのです。空爆の直前に劇場3階の『会計部』の部屋へ行き、掃除をしていたからです。そこから地下壕へ戻るのが遅ければ、死んでいました。1階から3階にいた人々は助かりませんでした」

マリウポリ劇場には多くの子供が避難していたのに、なぜ空爆されなければならなかったのか。劇場前には、ロシア語で「子供」と白い文字で、「警告」の言葉も描かれていた。なぜロシアはそれを無視したのか。私は理解できず、ベーラさんにどう思うか尋ねた。

「ロシア人の考えていることは私もまったく理解できません」

劇場前のスペースに「ДЕТИ《ジェーチー》（子供）」の4文字を描いたのは劇場スタッフだったという（95ページ）。

「演劇用品の絵具を使って巨大に描いたので、ロシアの戦闘機パイロットの目にも必ず入っていたはずです。実際、多くの子供が中にはいて犠牲になってしまいました」

路上に掘られた墓穴

劇場から外に出ても、危険なことには変わりなかった。地上では陸上部隊による砲撃が続いていたからである。

「隣町へ逃げる途中のことです。ある通りで二人の男性が路上に穴を掘っていました。私は、なぜそんなことをするのか、その時は分かりませんでした。彼らは、女性を穴の中に入れようとしていました。今考えると、女性はすでに亡くなっていたのでしょう。あまりにも多くの市民が死んだので、お墓が足りなかったのですね。後になってから『野犬が路上に散乱している遺体を食べるので、仕方なくマリウポリ市民は路上に墓穴《はかあな》を掘った』と聞きました」

ベーラさんはマリウポリを脱出し、ウクライナ中部の町にいったん落ち着いた。そして、ある日、そのもとに同僚だったマリウポリ劇場の女性演出家から電話が入ったという。

「ウジホロド市で劇場を再建したいのです」。演出家はそう言って、ベーラさんも来るように誘った。ウジホロドはスロバキアに接する最西部の町だ。そこで廃墟になった劇場を一から再建しようというのである。

国の西端にいる演出家に、私は首都キーウで借りていたアパートから電話してみた。彼女がマリウポリを脱出したのは、なんと侵攻開始日の2月24日だったという。「すぐに避難を決めました」。市民の多くが脱出を躊躇していたのに、なぜそんなに早く決断できたのか。

「『ロシアの世界』は、甘いものではないのです」

彼女はそう答えた。ロシアの世界とはなんなのだろう。私は、その意味を聞きたくなり、演出家に会ってインタビューするために、ウジホロド行きの夜行列車に乗った。

第4章

文化と言語をめぐる戦い

――バイリンガル社会のゆくえ

２０２２年４月末、ロシアは、ウクライナの東部と南部の結節点にある都市マリウポリのほぼ全域を占拠し、市内のアゾフスターリ製鉄所への攻撃も終えた。５月20日にはマリウポリの完全掌握を表明。その結果、ロシア軍の占領地域は東部ドンバス地方から南部のヘルソン州とクリミア半島まで繋がり、ウクライナが占領された地域は国土の約２割になった。

その領土侵攻について、６月９日、プーチン大統領は17〜18世紀のロシア皇帝ピョートル１世が自国領を拡張したことを賛美しつつ、「我々は（領土を）取り戻し、強化する」と述べ、自国の歴史を「参照」して領土拡張を正当化しようとした。そして、その２日後、ウクライナ南部などの占領地で住民に対し、パスポートを配布し始めた。「ロシア化」と呼ばれる占領の既成事実化である。それには、占領地域にある学校でウクライナ語による各教科の授業を中止し、ロシア語での授業を強制することも含まれていた。

前線での戦いとともに、こうして言語をめぐる「戦争」も表面化していったのである。

侵攻当日にマリウポリを離れた理由

ウクライナ南東部・マリウポリ市にあるマリウポリ劇場は２０２２年3月、ロシアの空爆で破壊された。だが、その後マリウポリから西に１５００キロのウクライナ西端の町、ウジホロド市に劇場を移す計画が動きだした。それは、ロシア的な演劇と縁を切り、ウクライナ的な演劇を再生するチャレンジでもあった。その中心にいるのが、劇場の座長でウクライナ文化を愛する演出家のリュドミーラ・コロソビッチさんだ。

劇場の再建に向けて動いているリュドミーラ・コロソビッチさん。

　彼女に、なぜウジホロド市に移住し、どのように劇場を再建しようとしているのか聞きたい。そう思った私は、彼女がいる新生マリウポリ劇場を訪問することにした。

　ウジホロドのザカルパッチャ州立音楽ドラマ劇場の中の一室に、彼女の座長室はあった。そこは8畳ほどの簡素な部屋だ。事務机を前に座ったリュドミーラさんは、なぜ侵攻初日にすぐマリウポリから脱出したかを語り始めた。

「実は親ロシア派の占領地域は、その日のだいぶ前からマリウポリの近くにまで広がっていました。その距離は市からわずか14キロ。私の部屋では親ロシア派の砲撃がよく聞こえ、そのたびにベッドから私の体は跳ね上がって。それでうつ状態になってしまいました」

そこへ「本格侵攻が始まった」とキーウに住む知り合いから電話が来た。さらに憂鬱《ゆううつ》になって、すぐ駅へ向かい、列車に乗ったという。

「車内は空いていました。避難を急ぐ市民はほとんどいませんでした」

すぐ逃げた理由には、マリウポリ劇場の親ロシア的なスタッフたちへの否定的な気持ちもあったという。

「劇場には、ロシアの世界を愛する人が多かった。私はそれがいやでした」

「ロシアの世界」とは、ここではロシアの芸術文化のみを愛し、ウクライナ文化を排斥する態度を意味している。

決心を変えた手紙

当時のマリウポリ劇場にはロシアの世界にシンパシーを持つ者がいた。

「ウクライナ民族ではない、少数民族のウクライナ人女性演出家でした。ロシアの空爆前は、マリウポリ劇場に演出家が二人いて、私とその親ロシア派の人がそうでした」

リュドミーラさんは、年間四つのペースで新たな劇を上演していたが、それらはすべてウクライナ語。ロシアの文豪チェーホフの小説をもとにした戯曲もウクライナ語に翻訳して上演した。それに対して、もう一人の女性演出家はロシア語で上演していた。「ことあるごとに対立しました」とリュドミーラさんは振り返る。

ウクライナの言語にかかわる法律は、リュドミーラさんのウクライナ語を愛する姿勢を後押ししている。例えば、ウクライナ語の使用基準を定めた「ウクライナ語の国家語機能の保証法」（２０１９年）は、レストランや学校、演劇などでウクライナ語をどう使うべきかのルールを定めている。例えば、演劇ならロシア語などウクライナ語以外で上演する場合、なんらかの形で字幕をウクライナ語で添えることになっている。

また、憲法にはウクライナ語のみが「国家語」として規定されている。公的機関でのやりとりや書類などオフィシャルな場面ではウクライナ語が使われ、街中の商店の看板もすべてウクライナ語だ。

一方、ロシア語については、特段の法律はないものの、首都キーウではよく話されている。また、ウクライナ南部にあるオデーサ市などは「ロシア語の町」と呼ばれてきた。ウクライナの東部や南部ではロシア語話者が多い。

ここでロシア語の使用について、「ロシアの世界を愛する演劇関係者は、法律違反をしていないのか」との疑問がわいてこないだろうか。

「その通りです。私以外のもう一人の演出家はロシア文化を信奉しており、彼女のいうことに従う劇場スタッフたちは法律を守りませんでした」

どうやらその演出家は、ウクライナ語の字幕を出していなかったようだ。

「大学でも同様でした。私も親ロシア派の演出家もそこで演劇論の授業を持っていましたが、彼女はロシア語で教えていた。これも法律違反です。学校教育ではウクライナ語を使うことが法律で定められているからです」

マリウポリ劇場には、こうした演出家をはじめ親ロシア的な人々がいて、リュドミーラさんは居心地がよくなかったようだ。実はそれが理由で、彼女は劇場再建の話を持ち掛けられた時、何度か断っている。

「空爆から１カ月後の４月でした。ある人からマリウポリ劇場を再建したいので、協力してほしいと頼まれたのです。私は『ノー』と答えました。一緒に働きたいと思う劇団員が当時の劇場にはほとんどいなかったのです」

その頃、彼女にはアメリカの劇場から演出家就任の要請も来ており、渡米して新天地で活躍することを真剣に考えていた。

しかし、その決心を変えるメールが、リュドミーラさんのもとに届く。マリウポリ劇場は、マリウポリ市の位置するドネツク州で唯一の劇場だったのだが、そのドネツク州軍事行政府（２０２２年にできた臨時州政府）から、事態の重大性を訴える真摯《しんし》な言葉がリュドミーラさんに送られてきたのだ。彼女はその全文を読み上げてくれた。

「尊敬するリュドミーラ・コロソビッチさま。ロシアの占領軍による本格的侵略でマリウポリ市は完全に包囲されました。そのため、ドネツク州立マリウポリ劇場の指導部は、劇場の管理と、働き手との連絡が不可能になりました。２０２２年３月16日の空爆の結果、劇場は破壊され、観客とともに死んでしまいました。劇場は最後の瞬間まで観客に誠実であり続けました。劇場の座長のK氏が今、職務を果たせませんので、あなたが代わって劇場の運営と俳優たちの芸術的な活動を指揮してくださるようお願いいたします。ウクライナが厳しい、残酷な状況に置かれている今、マリウポリ劇場はドネツク州の民にとって演劇芸術のよりどころであり、魂なのです。私たちは、劇場に新たな息吹を吹き込めるよう努力いたします。文化は特別な役割を担っています。文化によって人々は心に希望をいだくことができるのです。私たちは、占領者（のロシア）に抗し、独立のために戦ってきた過去の世代の精神の息づかいを感じています。私たちは、この戦争で持ちこたえ、必ず勝利します。いつでも構いませんのでお返事をいただけますか」

再建先での困難な暮らし

これを読み、リュドミーラさんは「劇場を再建する」と決心した。

そこで最も気を使わなければならないのは劇場の安全だった。ロシアの攻撃を受けるようなことが二度とあってはならない。戦闘機の空爆やミサイル攻撃の危険が少ない場所を慎重に選定する必要があった。そして2022年5月、リュドミーラさんはウクライナの最西端にあるウジホロドの地を選び、降り立ったのである。

「私は当局から劇場を再建する候補地として、西部の町リビウ、中部の町ビンニツァ、そしてウジホロドの3カ所を提示されました。私はそのうち最もロシア国境から遠い場所にしたのです」

ウジホロドはウクライナ西端のザカルパッチャ州の州都だ。この州は、キーウから見るとカルパチア山脈を越えた西側にあり、スロバキアと接していて、隣接国の民族も住む。

その州立劇場は、リュドミーラさんを積極的に助けようとした。劇場は市内を流れる、ウジ川のほとりにある巨大な建物だ。その1階の一室を劇場は貸してくれたのである。稽古や公演でもその劇場の舞台を使わせてもらえることになった。

しかし、生活は苦しかった。リュドミーラさんがウジホロドに住むのは初めて。助けてくれる親戚も知り合いもいない。ボロボロの学生寮のような住まいで、水道をひねっても水が出ない。ザカルパッチャ州立劇場の座長の計らいで、別の家へ引っ越したが、そこもカビくさく、咳が止まらなかった。

生活苦は、財政支援をしてくれているドネツク州の予算が限られているためだった。マリウポリ劇場の正式名称は「ドネツク・アカデミー・州立ドラマ劇場」。運営主体はドネツク州だ。しかし、この州では２０１４年からウクライナ政府と、親ロシア派およびその後ろ盾であるロシアとの間で戦いが続き、ロシアの本格侵攻が始まった後も最大の激戦地であり続けている。そのため、州当局が出してくれるお金は劇場運営費にほぼ限られ、リュドミーラさんら劇団員の生活費まで手が回らないのが現状だという。

駆けつけた同僚、残った同僚

　苦しい暮らしが続いたが、それでもリュドミーラさんの招待で、マリウポリ劇場所属だった４人の俳優がやってきた。東京と沖縄ほど離れたウジホロドにマリウポリから駆けつけたのである。

　ロシアによる本格侵攻前、劇場のメンバーは２１０人。そのうち裏方を除く俳優は54人いた。リュドミーラさんに合流した４人の俳優は、条件が悪くてもウクライナ文化再興のためなら、と手を挙げてくれた。そして、裏方のスタッフのほか、演劇をまだ勉強中の若者も加わり、十数人で２０２２年7月、「旗揚げ公演」にこぎつけた。

再建のために駆けつけてくれた多くの仲間たち。ただ、破壊されたマリウポリ劇場では親ロシア感情が強かったと、リュドミーラさんは振り返る。劇場の破壊後、もといた劇場スタッフのうち60人以上が、ロシアが占領したマリウポリに残る道を選んだのだ。劇場スタッフの3割近くに及ぶ人数だ。ロシア軍が市民を殺した劇場を、ロシア側は市内の別の場所に再建したのだが、彼らはそこに再就職したのである。その中には俳優も多い。いったい、どんな理由があったのだろうか。

リュドミーラさんは、その要因の一つに「ウクライナ文化弾圧の歴史」の影響を挙げた。

「ロシアはこの3世紀、ウクライナ文化を抹殺しようとしてきました」

確かにロシアは18～19世紀の帝政時代、ウクライナ人のウクライナ語の使用を政府の指令で禁止し、民族文化を抑えつけた。リュドミーラさんは、これに起源を持つロシア同化政策の結果、ロシアにシンパシーを感じる人々が自国の一部に生まれたと考えている。中でもマリウポリでその傾向は顕著だったという。その理由を彼女はこう推測する。

「マリウポリにはきれいな海があり、果物も食べ物もおいしい。それでロシア人は、半世紀以上前から移住してきて、ここに家を買った。マリウポリ劇場でも彼らが働き始めた。そして、ロシアの文化に対するシンパシーが強まっていったのです。私は2年前にこの劇場に移籍したのですが、ウクライナにある劇場なのに、ウクライナ文化よりもロシア文化が優勢だと強く感じました」

帝政時代の昔から、ロシア人だった先祖がウクライナに渡り、何代にもわたりウクライナ社会に住み続ける。あるいは、ソ連時代、同じ国だったロシアからウクライナに移住し、その独立（1991年）の後に、ウクライナ国籍を取得する。

後者の例では、作家のアンドレイ・クルコフ氏が有名だ。代表作『ペンギンの憂鬱』は日本語訳も出ているので、知っている人もいるかもしれない。彼はロシア民族のウクライナ国民を800万〜1400万人と見積もっている。これは全人口約4300万の2〜3割に当たる。

親ロシア派との出会い

とはいえ、民族の属性が、親ロシアと結びつくわけでは必ずしもない。

２０２２年のロシア侵攻を機にウクライナ社会でロシア語を話すのをやめて、ウクライナ語を話そう・学ぼうという風潮が強まった。テレビのインタビューや店での買い物、駅員とのやりとり、といったさまざまな場面でである。そして、それは民族的にはロシアにルーツを持つ人も同様で、クルコフ氏がよい例だ。彼は「ロシア侵攻以降、家庭でも母語のロシア語をやめ、ウクライナ語を使うようになった」と、地元メディアに明かした。

また、日常でロシア語を話すウクライナ人が親ロシアであるわけでもない。

私は、ウクライナではロシア語で会話したが、寝台列車の個室でたまたま同室になった40代のウクライナ人女性の銀行員と話した時も、彼女から「私たちは今ロシア語で話していますが、だからといって、私たちがロシアの政権を支持していることにはなりませんよね。私がロシア語を話すのは単に家庭で使っているという理由だけです」と言われた。キーウの喫茶店で知り合ったサーシャさんも「ロシア語を話すことと自分のアイデンティティとはなんの関係もない。ロシア語はコミュニケーションの手段にすぎず、それ以上でも以下でもないです」と述べた。

では、親ロシア派と呼ばれる人は、ロシアのどこにシンパシーを感じたり、その政策を支持したりするのか。私は偶然、二人の親ロシア派ウクライナ人と出会い、数時間ほど話し込み、その答えを聞いた。それはウジホロド以外のある町でのことである。

一人は、ソ連時代に生まれた中年男性のロシア語話者だった。彼は、文化の魅力を理由に挙げた。

「ウクライナ語で書く作家で世界に通用する作家がいるだろうか。誰もいないだろう。ウクライナは歴史に残る大作家を生んだが、みなロシア語で執筆した。19世紀のゴーゴリ、20世紀のブルガーコフがそうだ。画家だってロシアにはレーピンがいるだろう。俺は、芸術はロシアのものと英語圏のものしか興味がない」

彼は、キーウ政権の言語政策も批判し始めた。

「ゼレンスキーの前の政権がロシア語を消そうとした。教育でウクライナ語を強制的に押しつけたのだ。その結果、子供は学校の授業をウクライナ語で受けるが、家庭に戻ると親はロシア語を話す。子供は混乱していいことがない」

政治についても、彼はネットでロシアのニュースを見ている。「こちらのほうが真実を伝えている」と話す。ただ、ロシアとの戦争をどう思うのかについて突っ込んで聞くと、彼は一瞬言葉に詰まった後、あやふやなことを言い始めた。

「この戦争は、文明の間の戦争なのだ。ギリシャ神話と構造が似ている……」

不可解なことを言い始めたので、そこで私は話を打ち切った。別れ際、彼は「両国が激しい情報戦をしているから気をつけろ」と言った。

別の町で偶然出会った親ロシア派の女性も情報戦の話をしていた。「この戦いに勝たないと我々が潰される」という。我々とは親ロシアの人々を指している。「ロシアがウクライナに勝利したほうがいいと考えているのか?」と尋ねると、彼女は「ロシアが勝ったほうが、少しでも我々が生き残る可能性が高まると思う」と答えた。

親ロシア派のこうした「論理」の背後には、「現在のウクライナ政権が自分たちを抹殺しようとしており、一方で、ロシアの政権はそれに対抗して救ってくれる」という考え方が見え隠れする。現政権支持派とは正反対の見方だが、ウクライナではそういう「親ロシア派」かどうかをめぐる、対立構造が潜在している。

その後、私はなぜ親ロシア派が存在するのかについて、数十人のウクライナ人に尋ねた。最もよく聞いた意見は「それは古い世代に限られた考え方。ウクライナとロシアが同じソ連だった時代（１９２２〜１９９１年）を懐かしんでいるのだ」というものだった。つまり、同じ「ソ連人」だったではないか、という郷愁《きょうしゅう》があるというのである。

一方で、親ロシア派の有力な政治家や活動家らは、ロシアの侵攻後、ウクライナから国外へ流出。あるウクライナ人ジャーナリストは「昔は人口の20％ぐらいいたが、今は5％ぐらいだ」と述べた。正確な比率は分からないが、キーウの政権の統治が及ぶ地域（クリミア半島や東部のドンバス地方などを除く地域）を見ると、親ロシア派が公の場で発言したり、政治活動をしたりする余地はほぼなくなっている。

マリウポリの悲劇が重なる半世紀前の詩

リュドミーラさんたちは、ソ連時代のウクライナ文化抑圧を糾弾する劇を準備していた。その戯曲のタイトルは『民族の叫び』。シナリオはリュドミーラさんが書き下ろした。主人公は、ウクライナ文化を守ろうとして獄死したワシーリ・ストゥスである。ウクライナメディアによると、彼をノーベル賞候補者に推薦する運動もあったが、獄中にいたため実現しなかった。

ストゥスは、ウクライナがソ連の一部だった1930年代に生まれた。のちに共産主義政権の締めつけに反対し、「自由と人権」を求める運動に身を投じるようになる。その活動が

リュドミーラさんが指さしているのは、演劇『民族の叫び』のポスター。
詩人ストゥスの顔が描かれている（新生マリウポリ劇場座長室で撮影）。

反体制的だとして罪に問われ逮捕。ロシアの強制収容所に送られ、１９７２年から通算で13年獄中に繋がれた。逮捕の直前、当時の支配者である共産党幹部に、「ウクライナの言語、文化、歴史に対する侮蔑とは徹底して戦う」との手紙を書いた。そうした姿勢も逮捕の一因となった。

　ストゥスは獄中で出版のあてのないままウクライナ語の詩を書き続けた。ヨーロッパ文学のウクライナ語への翻訳もした。そして１９８５年、ハンガーストライキを宣言し、間もなく獄死した。

　リュドミーラさんの『民族の叫び』は、その生涯をテーマにした演劇だ。舞台の上で俳優たちは黒いタイツを頭からすっぽり被り、ソ連当局による弾圧を表現した。

ストゥスの詩に、半世紀前に書かれた「目撃者の年代記より」（『パリンプセスティ』所収）がある。驚くことに、読み進めてみると、マリウポリの惨状を予言するかのような言葉が並ぶ。

盗まれた太陽　見開いたその目
ナイフを心臓あたりに感じている　荒馬のように
雲また雲　煙のかなたの高みから
青ざめた神が　死をみつめている
荒ぶるウクライナの息子たち　戦いで体を身震いさせる
群れをなし戦う者　モスクワにこうべをたれる者
予言者のまなざしは　真っ赤な血に染まる
廃墟から母親たちは　もう立ち上がらない――
壕に　腕をたらしたままで（中略）
息子たちよ、君らが消えてなくなってくれ　たくましくあってくれ

灰になった地獄で　苦しみの天国で
君らのベルトは切り落とし　尻に杭を振り下ろし
そして流れる血——その血のワインにおぼれてくれ
そしてウクライナはどこにある？　ずっと遠くに　ずっと遠くに　ずっと遠くに
我が祖先の系譜図は　乾いた埃《ほこり》におおわれて
盗まれた太陽は　驚きの眼《まなこ》を見開いて
心臓にメタルをつきつけられた　荒馬のように
煙のあがっている廃墟　奔流となって流れる血
そしてタタールの哀れな太陽に　一撃される

50年前に祖国愛をうたった詩だが、「盗まれた太陽」が現在のウクライナと重なっているように感じられないだろうか。また、「モスクワにこうべをたれる者」が親ロシア派のことを指しているようにも読める。その背景には、１９７０年代半ばのモスクワ（ソ連当局）が、ウクライナ語の使用を制限しようとしていたこともあっただろう。

〝書き換えられた〟ウクライナ民謡

なぜウクライナでは、長年ウクライナ文化が十分保護されてこなかったのか。なぜロシア文化が優勢な時代が続いたのか。

私がそう問うと、リュドミーラさんは直接その問いには答えず、ウクライナ民謡を口ずさみ始めた。「庭は秋　アスターの花が白く咲き誇る……」。そして、一節を歌い終わると、ゆっくりと私の問いへの答えを語ってくれた。

「この民謡は、ロシア人がロシア語に訳して、ロシアのものにしてしまったのです。このようにウクライナにルーツを持つものがいつの間にかロシア文化の一要素になってしまう。そういう例がこれまで多すぎたのです」

この民謡は、本来はリュドミーラさんが生まれ育った、ウクライナ東部ドンバス地方のものだ。そこはロシア語が優勢だという。

「父が10年前に亡くなった時、墓碑銘をウクライナ語で書きました。でも、ドンバスの墓地の周りのお墓はロシア語で書かれたものが多いです。もしロシア軍に故郷の村が占領されて、墓碑銘のウクライナ語が見つかったら、父の墓は破壊されてしまうでしょう」

復活したウクライナの人形劇

詩人ストゥスの劇を成功させたリュドミーラさんは、第２弾としてウクライナ語を使った伝統的人形劇を準備していた。彼女が稽古場に行くと、20畳ほどの部屋には団員たちがすでに待ち構えている。17世紀からウクライナで上演されていたが、20世紀初頭までに衰退した『ベルテップ』を復活させるのだ。

『ベルテップ』はウクライナの伝統的人形劇だ。クリスマスのお祝いとして上演される。２０２２年のロシアの本格侵攻は、そのクリスマスの時期をも変えてしまった。ウクライナで最も信者が多いキリスト教の正教では、伝統的に１月７日にクリスマスを祝う。しかし、侵攻後は12月25日に祝う人が急増した。反ロシア感情と親西欧感情が強まったためだ。

リュドミーラさんの新生マリウポリ劇場も、12月25日の公演を目指していた。

その舞台は、博多の屋台の半分くらいの大きな箱だ。その真ん中が横向きに仕切られてい

『ベルテップ』の舞台。上段が聖なる世界、下段が邪悪な世界となっている（左）。下段にいるのはプーチン人形。人形劇では悪の象徴として暴れる（右）。

る。上段が「聖なる世界」、下段が「邪悪な世界」。二つの異なる世界が村上春樹の小説のようなパラレルワールドとなって展開する。本来のシナリオは聖書がベースだが、今回はリュドミーラさんが現代風にアレンジした。そのリハーサルは、ユーモアと笑いに満ちていた。劇の内容を簡単に紹介しよう。

「邪悪な世界」の主人公は、プーチン大統領だ。彼が暴れて人々を苦しめるのに対し、「聖なる世界」ではキリストが生誕し、精神的な救いを人々にもたらす、というのがおおまかなあらすじだ。

そのプーチン人形は、赤いロシア風のガウンを羽織った皇帝の姿をしていて、王冠

ウクライナの民族衣装を着た俳優に演技指導するリュドミーラさん。

も被っている。そして、「我々はこの地をすべて征服するだろう」と宣言する。彼につき従う女性の人形はそれに賛同し、「(ロシア抜きでは）何も存在できない」と述べる。

続いて、上段の「聖なる世界」でキリストが生まれる。舞台の箱のそばには劇団員のコーラス隊が立ち、生誕を祝う歌を歌う。彼らはみな、赤や青の刺繡が入った鮮やかなウクライナの民族衣装を着ている。

そして、邪悪な世界に、ウクライナにおける英雄であるコサックの人形が登場する。それまでほかの人形に乱暴を働いていたプーチン人形はおとなしくなる。コーラスの歌がいっそう大きくなり、「奇跡よ」という言葉が繰り返される。「奇跡」とはキリストが救い主であることを示す言葉だ。リュドミーラさんは細かく演技をチェックしつつ、終始笑顔を浮かべていた。インタビュー中はマリウポリの惨状を思い出すのか、憂《うれ》い顔だったが、稽古場では声を上げて笑っていた。私も愉快な気持ちになりながら、新生マリウポリ劇場を後にした。

ウクライナ語とロシア語の使い分け方

ウジホロドの州立劇場を出ると、すっかり日が暮れていた。出口前では偶然にも州立劇場スタッフの若い女性に出会った。私は、宿泊予定のホテルまでの道のりが分からなかったので、その住所を伝えて道順を尋ねた。

「私の家も同じ方向です。今から私も帰宅するのでご一緒しましょう」

彼女の話す言葉は、なまりのないロシア語だった。彼女はなぜロシア国境から最も離れたこの町で、国家語のウクライナ語ではなくロシア語を話すのか。ロシア語ネイティブらしい彼女に、ウクライナの言語事情を聞きたくなった。

なぜある人はウクライナ語を話し、なぜ別の人はロシア語を話すのか。首都キーウの場合、ウクライナ語とロシア語の使用頻度は五分五分だった。キーウの喫茶店では、一方がロシア語で話しかけると、もう一方がウクライナ語で答えるという光景も目にする。こういう「両言語ちゃんぽん」のやりとりは、ウクライナのテレビ番組でもある。司会者がウクライナ語で質問し、比較的年配のコメンテーターがロシア語で答える、といった具合だ。ウクライナ人の多くが、ウクライナ語とロシア語のバイリンガルなので、こういう現象が起きる。だが、どうやって使用言語が選ばれているのだろう。

私は彼女に問いかけた。

「憲法上、ウクライナ語がこの国唯一の国家語ですよね。だから、ウジホロドに来る前の私は、ここはウクライナの西端の町なので、ウクライナ語か、あるいは国境が近いスロバキアやハンガリーの言葉を話すと思っていたのです。ロシア語がこんなに通じるとは予期していませんでした」

実際、私もそれまでに何回かタクシーに乗ったが、ウジホロドの運転手さんたちはロシア語で会話に応じてくれた。

「ここザカルパッチャ州には、住民のほとんどがハンガリー人という自治体もあり、そこではハンガリー語が話されています。でも、私の住む州都のウジホロドでは、いろんな言葉が話されていますね」

では、なぜ彼女はたくさん言語がある中で、ロシア語を話すようになったのだろうか。

「母も父もロシア語を話す家庭で育ったからです。私は、頭の中で考え事をする時はロシア語です。今は結婚しているので、両親と離れて住んでいます。自分の家ではウクライナ語をしゃべっています。夫がウクライナ語を話すから、彼に合わせているのです」

つまり、ウクライナでは家庭ごとに使用言語が異なり、基本的に、親の使う言葉を子供は引き継ぐということらしい。そして話し相手や場面に応じて臨機応変に切り替えるのだ。

ロシア語タブーの噂が流れる街へ

一方、多言語都市のウジホロドと異なり、ウクライナの西の都・リビウ市では「市民がウクライナ語しか話さない。ロシア語を話すのはタブーだ」という噂を聞いた。はたして、それは本当なのだろうか。そう思った私は、電車に乗ってウジホロドから１８０キロ離れたリビウに向けて北上した。

リビウは石畳の道路もあり、石造りの美しい建物が並ぶ欧州的な古都だった。その中心にある「歴史地区」は世界遺産でもある。ウクライナのほかの都市よりも、プラハやブダペストのような東欧の都市に雰囲気が近く、第2次世界大戦まではポーランド領だった。

リビウはもともと観光が盛んな都市だったので、ウクライナの他都市よりも英語が通じる印象を受けた（ウジホロドのホテルの受付の人は、すべてウクライナ語だった）。私が宿泊したホテルのフロントの女性も英語でチェックインの説明を始めた。

ただ、ここで問題が起きた。早口すぎてまったく聞き取れなかったのだ。ウクライナなまりも混じっているようだった。最後にカードキーを渡された。ルームナンバーもよく聞き取れなかったので、私は「ファイブ・ゼロ・ワン（501）？」と番号を確認した。

ところが、部屋に行ってカードをかざしてもドアが開かなかった。次のインタビューの時間まで30分もない。焦ってフロントに下りて女性に訴えたが、また早口の英語である。ついカッとなり、「ロシア語で話してください！（ガバリーチェ・パルースキー！）」とロシア語で大声を出してしまった。

すると、驚くことに彼女はロシア語に切り替え話し始めた。「すぐに部屋をお取り替えします」と彼女はロシア語で言ったのである。結局、電磁式のキーが壊れていたのが原因だった。彼女は速やかに対応してくれ、私はロシア語で「ありがとう」とお礼を言った。

リビウをはじめとするウクライナ西部は、第２次世界大戦末期から、反モスクワのゲリラ活動が続いた地域である。だから、反ロシア・反ロシア語の雰囲気がとりわけ強いのだ、と私は聞いていた。ソ連の「歴史的遺産」についても同様だ。例えば、ロシア革命の指導者であるレーニンの銅像。ソ連が解体し、ウクライナが独立国になった１９９１年の後もウクライナの各都市ではしばらくレーニン像が残っていたが、リビウではほかに先駆けて市内にあったレーニン像が撤去された。

チェックインのやりとりの後、私は彼女と親しくなり、さまざまな便宜を図ってもらった。噂とは異なり、リビウもバイリンガルの社会なのだろうかと思った。

ウクライナ語の聖域となった書店

だが、リビウに限ってはそれも一面的な見方だった。市内を歩くと、すれ違う市民たちがウクライナ語で会話しており、ロシア語はほとんど聞こえてこない。それは喫茶店も同様だった。ロシア語話者の知り合いとお茶をし、ロシア語で会話していても、ウェイターはウクライナ語で注文を聞いてくる。（私のウクライナ語にはまだ不安が残るので）ロシア語で答えても、ウェイターはウクライナ語で話し続ける。首都キーウならば、ロシア語に店員が切り替えてくれる場合がけっこう多かったが、やはり「ウクライナ語の都市なのだ」と感じた。

中でも書店はロシア語を拒絶していた。

チェックインした翌日、リビウ市の中心部にある２階建ての大きめの書店に立ち寄った。ロシア語の本、とりわけロシア文学がどう扱われているかを見るためである。だが、ドストエフスキーもトルストイもチェーホフも本棚に１冊もない。それ以前にロシア語で書かれた本が一切ない。大部分がウクライナ語で書かれた本で、それ以外は英語で書かれた本がわずかにあるだけだった。

私は「ここにロシア語の本はないのですか」と店員に尋ねた。若い女性の店員は目をまるくし、口を開けたまま数秒間黙ってしまった。その固まった表情を見て、私は「分かりました」と一言答えた。

この経験を知り合いのウクライナ人数人に話し、「なぜロシア文学が書店にないのですか」

と尋ねると、「戦争のせいです。当然でしょう」と彼らは口をそろえた。書店はその国の文化を代表する、いわば「顔」のような存在だ。ロシアと戦争が始まった以上、ロシア語を使うことや敵国の本を置くことができないのは理解したが、その徹底ぶりは印象的だった。

例えば、ロシア語話者であり、ロシア語で作品を書いてきた、欧米でも有名なウクライナ人作家クルコフの作品でさえも、リビウの書店に置いてあるのはウクライナ語訳だけ。オリジナルのロシア語版はなかった。

私は好奇心から「日本文学はありますか?」と書店員に尋ねた。村上春樹の小説『海辺のカフカ』を持ってきてくれたが、これまたウクライナ語訳と英語訳だけだった。

その後、ロシア語話者も多い首都キーウの書店でも確かめたが、やはりロシア文学はウクライナ語訳も含めて置いていなかった。キーウは、日常会話ではロシア語を話す市民が少なくない都市だが、そんなキーウでさえも、書店内では店員も買い物客もウクライナ語以外は話していない。書店はいわば「ウクライナ語の聖域」になっていた。

ただし、ネットの世界は書店と異なる。ウクライナのネットメディアは今でも、同じ記事をウクライナ語とロシア語で同時に配信することも少なくない。ロシア語のほうが読みやすいという読者がいるため、その人たちに配慮している。ただ、一部の有力な全国メディアがウクライナ語版のみの配信にするなど、それも変わりつつある。

バイリンガル社会であり続けるウクライナ

「リビウ市」「書店」「新生マリウポリ劇場」と、ウクライナ語が優勢な領域をここまで見てきた。

プーチン氏の始めた戦争は、「ウクライナの『ロシア語話者』の保護」を名目の一つとしている。その底には、「ウクライナ語が優勢な領域」が拡大し、それにより「ロシア語話者が迫害されている」という前提が隠れている。実態はどうなのだろうか。

ウクライナ人の意識の中で、ウクライナ語のステータスは上昇傾向だ。それは国内で行われた世論調査に表れている。２０２２年3月、ウクライナ人に母語を尋ねた調査によると、「ウクライナ語」と答えた人は76％だった（10年前の調査では57％）。また「ウクライナ語は唯一の国家語であるべきだ」と考える人は83％を占めた。およそ5人のうち４人がウクライナ語を重視している（ウクライナの調査機関「レーティング」より。以降も同じ）。

ただし、調査は2月のロシア侵攻の直後に行われたものだ。その時期は、多くのロシア語話者が「ロシア寄り」とみなされることを恐れて、使用言語をロシア語からウクライナ語へ切り替えた頃と重なる。私がウクライナを訪ねたのは11月〜12月。侵攻から9カ月が経ち、首都キーウでは「ロシア語話者がロシア語を再び話し始めた」という声も多く聞いた。ロシア語への「揺り戻し」が起きていた。

ウクライナは、ウクライナ語とロシア語の「バイリンガル社会」のままだ。プーチン氏が言う、ロシア語話者を「保護」しなければならない状況など存在しない。

バイリンガルの典型は寝台列車の車掌たちだった。

ウクライナの鉄道は改札口がなく直接、ホームへ行く。車掌たちが寝台列車の各車両の前のプラットホームに立ち、乗客が購入した切符をチェックし、車両の中へ通す。私はプラットホームで車掌にロシア語で何回も質問したが、答えは毎回ウクライナ語だった。プラットホームは乗客たちが行列し、「人の目」がある公的空間だからだ。

しかし、車掌たちは車内販売も担当するのだが、私が客席のワゴンに腰を落ち着け、お茶などを注文した時はロシア語で応じてくれた。人が見ていない場所では、車掌もロシア語を話した。憲法で国家語となっているウクライナ語を国鉄の車掌は使用しなければならない。

だが、プラットホームではウクライナ語、車内ではロシア語話者に対してはロシア語と、柔軟に使い分けていた。

再び世論調査を見てみよう。「日常生活で使っている言語」について尋ねると、ウクライナ語が58%、ロシア語が11%、両言語併用が30%だった（２０２３年2月調査）。

両言語併用の「30%」以外の人々も多くがロシア語を話せる。ウクライナ人たちが「なんでロシアが戦争を始めたのか理解できない」というのはそのためであり、私も現地に行ってみて、強くそう感じた。

第5章

ボランティアが支える市民生活

——助け合いの絆を断たないために

２０２２年3月末に、ロシア軍参謀本部が主要戦略目標と宣言したウクライナ東部のドンバス地方は、ルハンスク州とドネツク州の2州からなる。そして、7月3日、ロシア軍は親ロシア派勢力とともにルハンスク州の占領地域を州全域に拡大、州を完全占拠した。

一方で、ウクライナ軍は7月頃から南部のヘルソン市周辺に部隊を集中し始める。それに応じて、ロシア軍もヘルソン方面の部隊を強化しようと、東部・北東部にいた部隊を南部へ移動させた。そのため、ウクライナ軍の前進は遅々としたものだった。

ところが、この時にウクライナ軍が狙っていたのはウクライナ北東部・ハルキウ州のロシア占領地の奪還だった。つまりウクライナ南部への戦力集中は、ロシア軍部隊をそちらへ引きつけておくための陽動作戦だった。

そして、9月6日にウクライナ軍はハルキウ州でロシア軍の陣地を急襲。1日当たり数十キロのペースで前進し、10日には、鉄道網の結節点であるクピャンスク市をロシアの占領から解放した。また、クピャンスクの南に位置する要衝イジューム市も奪還した。

このハルキウ州奪還作戦を主導したのはもちろんウクライナ軍だ。ただ、見逃してならないのは、それを後方で支えるボランティアをはじめとした市民の力である。

謎の女性、タチアナ・ハリコフさん

私は、首都キーウからウクライナ北東部のハルキウ市へ向かおうとしていた。20世紀前半の一時期、首都だった歴史を持つ「ウクライナ第二の都《みやこ》」である。その目的は、行政が十分機能しない中、戦時下の市民を支えているボランティアたちに会うためだった。

知人の紹介で、現地の案内役をハルキウ在住の女性ボランティアが引き受けてくれた。SNSで連絡を取ると、アカウント名には「タチアナ・ハリコフ」と表示された。ハリコフはハルキウのロシア語読み、タチアナもウクライナでは最もよくある女性名で、日本語でいえば「大阪花子」ということだ。明らかに偽名である。ハリコフとロシア語の表記を使っているのは、ハルキウがそもそもロシア語話者の多い地域だからだろう。

さらに、SNSでの連絡のみでは何者かよく分からなかったので電話をかけると、ハリコフさんは短い言葉を鉄砲玉のように繰り出し、「駅に迎えに行きます。到着時間は？　到着ホームは？」と矢継ぎ早に質問してきた。偽名らしき名前とせわしない口調に不安が募ったが、「乗りかかった舟」だと思い、そのまま彼女に案内を依頼し、ハルキウ行きの列車に乗った。

だが、私が席を予約していた特急は運休となった。乗ったのは代替の古びた鈍行の寝台列車。座席で向き合った50歳くらいのウクライナ人女性に理由を尋ねると、「ロシアがミサイルで鉄道の施設を攻撃したからですよ」と言う。ハリコフさんにはＳＮＳで遅れる旨を伝えた。すると、返ってきたのは次のようなメッセージだった。

「ＯＫ。タチアナ・ハリコフ（の名）は、駅員なら誰でも知っている。名を駅で告げれば（改札から）外に出られる」

駅で本人は顔パスということらしいが、いまいち信用できない。停車する電車の中で不安ばかりが膨らんでいった。

教科書にロシア語文学を入れるべきか

電車は予定から5時間遅れて動き出した。幸先の悪いスタートである。本当にハルキウに行って大丈夫だろうか。そんな漠然とした恐れを感じていたら、先ほど運休の理由を教えてくれた女性から、またもや落ち着かない話を聞いてしまった。

「ハルキウでは午後11時に夜間外出禁止令が始まります。それ以降は外出禁止です」

下手に外を歩けば、パトロールの軍人に捕まりかねないし、射殺される可能性もある。しかし、午後11時には間に合いそうもなかった。

ゆっくり進む車両の中で、彼女は自己紹介してくれた。教育出版の大手O出版に勤めており、教科書編集部の編集長だという。

教科書ではロシア語で書かれた文学を、子供に教えているのだろうか。今や敵の文学ではないのか。

「来年出す国語の教科書に、ウクライナ生まれのロシア語作家ゴーゴリを入れるかどうかで、悩んでいます。教科書の検定が始まっており、文部科学省の判断を仰いでいるところです」

ゴーゴリはウクライナ生まれだが、ロシア語で作品を書き、ロシアの文壇で活躍した19世紀前半の作家だ。貧しい下級官僚の悲哀を描いた小説『外套』などは、その後に登場したドストエフスキーらに大きな影響を与えた。

一方で、彼の作品にはコサックなどのウクライナの風俗・歴史を題材にしたものもあり、「ロシアというよりウクライナの作家だ」という見方もウクライナにはある。ロシアの侵攻によって教科書の内容も、ウクライナ文化とロシア文化の間で揺れていた。

ウクライナにとって侵略国であるロシアの文学を、ウクライナの子供たちに読ませるか否かについて、外国人の私には言うべき言葉もなかった。ただ、子供の道徳教育が戦争の影響でどうなっているのか、愛国心を煽ったりしていないのか、は気になった。そこを教科書編集長に尋ねると、意外な答えが返ってきた。

「今作っている次年度の道徳の教科書には『ボランティア精神』が初めて盛り込まれます」

ウクライナのボランティアの中には、前線で戦う兵士のために、危険を冒して食料などの物資を彼らのいる場所まで運ぶ団体も多い。新しい教科書にはその活動を盛り込み、他方で市民同士の助け合いも書くという。

「教科書で書ける量は段落数個分ですから、活動の詳しい紹介ではなく、助け合いの精神の大事さを説きます。愛国心というより相互扶助です」

迎えにきたのは救急車

10時間ほど列車に揺られると、ようやくハルキウ駅に着いた。時刻は午前1時をすぎている。乗客の人の流れに身をまかせ、とりあえず駅の出口まで行ってみる。すると、出口の柵の外から「タダシですか？」と私のファーストネームを呼ぶ声がした。20代の若いウクライナ人男性がニコニコ笑いながら立っている。白い歯を見せるさわやかな彼にハリコフさんとの関係を尋ねると、「息子です。あなたをホテルまで送ります」との答えが返ってきた。

駅前の通りには、救急車が駐車してあった。私はその助手席に乗せられた。なぜ救急車なのか気になって尋ねてみると、欧州のボランティア団体を通じ外国製のものを払い下げてもらったらしい。

「救急車」はパトロール中の警察車両を次々追い越していった。警察は我々の車に気づくと、レーンの脇に避けていく。「救急車」はサイレンこそ鳴らさないが、すごい速度だ。車体には大きな文字でボランティア団体の名前が書いてあり、本来の救急車とは違うことが分かるはずだが、それでもパトカーは道を譲る。そしてホテルには思ったより早く着いた。

この町では、ボランティアがかなりの力を持っているようだった。それはなぜなのか。新たな疑問がわいてきた。

ハリコフさんの正体

翌朝、宿泊先の玄関前に大型ワゴン車が停まり、「ハリコフさん」が降りてきた。「ガーリャ・ハルラモワです」と本名を名乗った。よく微笑む、明るい感じの40代の女性だ。

彼女のスマホは数分おきに鳴る。市民からの支援要請らしく、てきぱき自らの事務所に伝えて処理する。私がキーウから彼女のスマホにかけた時、長話せずに切っていたその理由が、これで分かった。ボランティアの支援活動で忙しかったのだ。

スマホで仮名を使う理由はあえて尋ねなかった。ロシアとの国境に近い市であり、国境の向こうにはロシア軍の一大拠点がある。ロシア人や親ロシア派のスパイが市内に潜伏している可能性が高いことは容易に想像がつく。スマホをトレース（盗聴・盗視）されることを警戒してのことだろう。

彼女は「人道支援センター・ボランティア68」という団体の代表だった。建設会社の幹部社員だったが、ロシアの侵攻後にボランティアに転身した。ロシアから40キロのこの町では砲撃が激しくて、学校はすべて閉鎖されている（授業はオンライン）。そこで、閉校中のハルキウ市立第68小学校の空き教室を借り、ガーリャさんは事務所兼倉庫を構えた。「68」はその学校名にちなんだ。

寄付された衣類を手にするガーリャ・ハルラモワさん。

最初は閉校中の第35小学校へ入居する予定だったそうだ。ガーリャさんは、私をそこへ連れて行ってくれた。ところが、学校はロシアの攻撃で大部分が瓦礫となっていた。

「第35小学校は３月５日に視察しました。でも、近くに工場がある。それがロシアのターゲットになって巻き添えを食うかもと思い、第68小学校に変えたのです。変えていなければ、私は死んでいました」

彼女の予測通り視察から10日後の3月15日に、第35小学校はロシア軍に砲撃された。その5日前に行われたゼレンスキー大統領の演説は、小学校破壊を示唆するかのような内容である。

我々のハルキウは今、第2次世界大戦以降で最悪の苦しみにさらされている。サルチフカ、アレクセエフカ（中略）我々はすべて再建する。私は約束する。ハルキウ市民が、ウクライナが、彼らのそばにいると（感じられるようにすると）いうことを。

（2022年3月10日　ウクライナ大統領府HPより）

サルチフカ、アレクセエフカはハルキウにある住宅街のことだ。ロシア軍の攻撃によって公共施設も軒並み破壊された。大統領はその名も列挙した。州立小児病院、ハルキウがんセンター、コロレンコ図書館、自由広場、カラジン大学。大統領が挙げたのはここまでだが、その他工場や企業も破壊されているのを私は目撃した。

私は、そのうちハルキウ市サルチフカ区を、ガーリャさんとその知り合いの市職員の案内で訪ねた。私たちは小学校と幼稚園を中心にめぐった。この市職員は学校の穴の開いた天井

最初の事務所候補地であった市立第35小学校。完全に破壊されていた。

を指さし、「これはロシアの○○ミサイルで開いた穴」「これは△△ミサイル」と教えてくれる。ロシアのミサイル名が穴の大きさで判別できるらしい。ロシアの攻撃は身近なものになってしまっていた。

穴の下に子供がいたかどうかは、かわいそうすぎて、ガーリヤさんたちに聞くのは憚《はばか》られた。多くの教室は、内部が崩れて天井の破片が床に散乱していたり、教室全体が崩壊して瓦礫の山と化していた。

ロシアのミサイル攻撃によって破壊された小学校（上）。天井には穴が空いている。別の学校では、教室だった焼け焦げた部屋の中で、机を固定するパイプだけが地面から突き出していた（下）。

やまない砲撃の中で支援物資を配る

ハルキウでは、崩れていない高層住宅にも命の危機が迫った。お年寄りや身体障害者が高層階に取り残されたのだ。ロシアの砲撃により停電が発生したことでエレベーターが止まり、階段の上り下りができない彼らは部屋に閉じ込められた。頼りの子や孫は、他都市や外国へ避難していなくなった。

「食べ物がないの。助けて」

２月25日、ガーリャさんのスマホが鳴った。ロシアの侵攻の翌日、知り合いのお年寄りからだった。ドォーン、ドォーン。外はロシアの砲撃音が鳴り響く。その中で車を運転しながら、ガーリャさんは夫や息子たちと食料や水を配り始めた。この日のコールは数件だった。しかし、３月に入ると、ガーリャさんの活動は口コミで広まって、１日に３００〜４００件のＳＯＳが寄せられるように。取り残された人々の悲鳴が波のように押し寄せてきた。

ロシアの侵攻後、ガーリャさんのような市民数百人がハルキウでボランティアとしてそれぞれに立ち上がった。こうした活動は首都の大統領府の耳にも入ったはずだ。だから、ゼレンスキー大統領もガーリャさんが活動を開始した2週間後、演説で「ハルキウ市民」に寄り添う発言をしたのだろう。

そのハルキウで被害が一番大きいサルチフカ区の第68小学校に、先述の通りガーリャさんは、事務所を構えて受付のデスクを置いた。そこは、スマホを持つ5〜6人が座り、支援を求める人から電話を受けるコールセンターだ。そうした人々のリストは6000人にものぼった。その半分の3000人が70歳以上のお年寄り、残り3000人が寝たきりの人や歩行が困難な障害者だという。

彼らを助けるための資金は寄付に頼る。運搬用の大型バンも受け取った。支援物資の段ボールの側面には、ガーリャさんへの励ましの言葉もあった。

「善い心の人の手に、善い味を」

2022年9月からは、こんな言葉が書かれた段ボール箱が「ボランティア68」に次々運び込まれるようになった。箱の中身はパン。週に1回、キーウの某パン屋さんが2000〜3000個のパンを寄付し始めたのだ。

砲撃でガスを使えなくなった家には、こうしたパンやコーンフレークといった調理不要の食べ物を、ガスを使える家にはインスタント麺も配る。そのほか、水のペットボトルやお年寄り用おむつ、薬、車いす、足の不自由な人向けの歩行器も求めに応じて届けている。物資は国内のより安全な西部の町リビウや欧州諸国から届くという。

「母乳の出なくなった若い母親も支援します。それは砲撃音を聞いて、ストレスを受けているせいです。彼女らは新生児に授乳できないでいます。彼女たちにミルクのほか、おしめ、着ぐるみをパッケージした包みを渡しています」

　これらをなぜ、政府や自治体ではなく、ボランティアが配るようになったのか。

「市役所は機能していません。市役所の職員が、ロシアの砲撃中に歩いて集合住宅を回れると思いますか？　彼らには交通手段がないんです。だから私たちが専用のバンで配っているんです」

　ボランティアの勇気はどこからくるのだろう。自分の身も危ないではないか。

ボランティア68の事務所に、キーウのベーカリーからパンが届いた。右端がガーリャさん。

ハルキウ市を襲ったロシアのミサイルの破片。左手に大きな破片、右手に比較的小さな破片を持っている。いずれも体を直撃すれば、命はまず助からない。

そう聞くと、シンプルな、だが深刻な答えがガーリャさんの隣に立っていた男性スタッフから返ってきた。

「だって、仕方ないでしょう。助けを求める人がいるのだから。運次第です。運が悪ければ、どうしようもありません」

運とは、砲弾が着弾した時に、弾本体や飛び散った破片が自分の体に「当たるか」「外れるか」にかかっているということだ。破片は大小さまざまで、ミサイルの種類によっては数十メートルの距離まで広がる。私が市内のある民間病院を訪ねると、そこに勤務する外科医のイワン・フェドロフ医師は、自分で拾った実物の金属片を見せてくれた。幅は10センチ近く、長さも40センチほどある。これは大きい。当たれば助からないな。私は心の中でそうつぶやいた。

「勇敢なボランティアの支援がなければ、この病院は成り立ちません。物資を持ってきてくれるのです。公的支援が１割、ボランティアからが９割というところでしょう」

砲弾の破片を手にフェドロフ医師は、こう感謝の言葉を述べた。

９割はおおげさかもしれない。ただ、そうだとしても病院の医師による、このボランティアの讃えようには、国や自治体の財政は厳しいと思わざるをえなかった。本来医療は、国や自治体が支援すべき仕事なのだから。

ハルキウの市民生活はこうして、命知らずの勇敢なボランティアが崖っぷちのところで支えていた。

ボランティア68から支援物資を受け取り、喜ぶお年寄り。ガーリャさん提供。

地下生活者の暮らしも支える

戦争が長引くにつれて、市民の中に

は何カ月も「地下生活」を続ける人が出てきた。

ガーリャさんは、私を集合住宅の地下の避難壕で暮らす人々のもとに連れて行ってくれた。砲撃が恐ろしくて、上の階にある自宅へは戻れない。そうした住民がこの団地に１００人余り、十数室ある巨大な地下壕で暮らしていた。そのうちの一人の女性が、感極まった様子で話し始めた。

「戦車が街路を走っているのに、その間を車ですり抜けて、支援物資を運んできてくれた。ガーリャさんに会うたび、『勇敢』という言葉しか心に浮かびません」

別の50代の女性の住む地下室は、つつましいものだ。３畳ほどの部屋にマットレスが一つ、むき出しの土の上にある。そこに孫を寝かせ、自分たち大人は地面に座ったまま夜を明かす。家具は小さなタンスが一つあるだけ。私が許可を得て開けてみると、中には薬やトイレットペーパーが入っていた。

トイレは、２月のロシアの侵攻以降、住民がそれぞれの部屋でバケツや盥《たらい》を使ってしのいでいた。６月に入って、キリスト教系のボランティア団体により、部屋の一つに白い便器を備え、トイレ室が作られた。そこは、この地下壕に住む住人の共同トイレとなり、衛生状態は少しよくなったという。

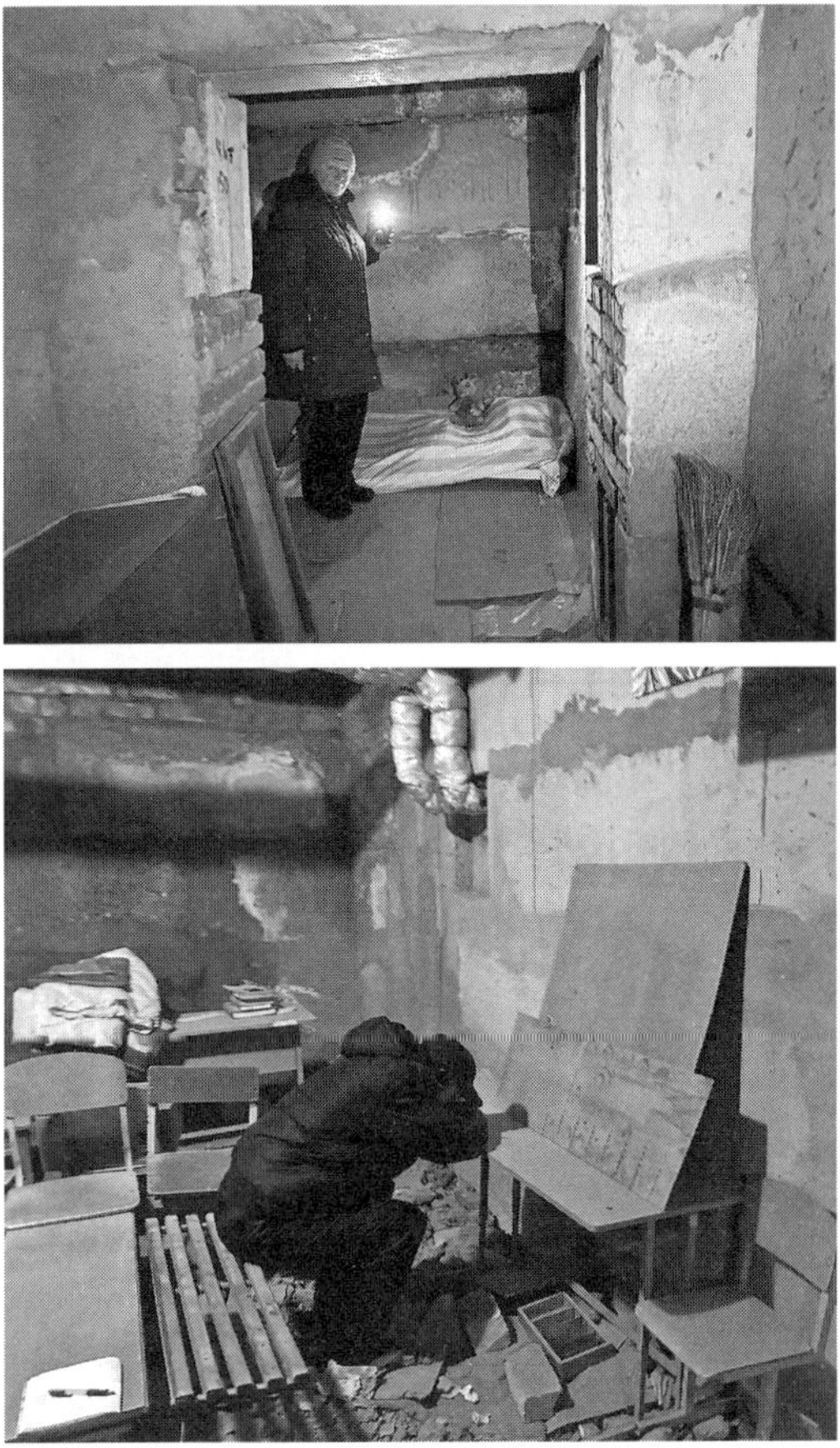

マットレスを置いただけの地下壕（上）。ここには孫が寝て、大人はそのそばで眠るという。また、横になれないこともあり、ある男性は「寝る時は机にうつぶせです」と言った。

地下生活者が集合団地の地下壕に作った小学校。小学生たちがここに集まり、それぞれスマホを手に遠隔授業を受ける。写真右の女性は学校を作った一人である母親のマリーナさん。

　子供の教育も、地下に〝小学校〟を作り、改善した。ボランティア68の支援を受ける住民の一人、30代の母親マリーナさんが、地下の10畳ほどの部屋に四角いテーブルとベンチ、そしてＷｉ‐Ｆｉを置いたのだ。そこには毎朝、数人の小学生が集まる。そして、国内外に住むウクライナ人教師が遠隔で算数や国語などを教える。スマホを手にした子供たちは、画面の先生の言葉に耳を傾け、先生の質問にもスマホで答えるという。
　この集合住宅には、砲撃を恐れて子供を24時間ずっと地下室にこもらせる母親もいた。マリーナさんもその一人だった。日の光は浴びられない。寝る時は横になれない。それでも、母親たちがハルキウを離れないのはなぜか。マリーナさんはその理由を教えてくれた。

「夫は軍人で、今前線で戦っています。その彼を残して、妻の私と子供だけで外国へ逃げるなんてできません。彼と同じ国、ウクライナにいたいのです」

ウクライナの北東の端にあるハルキウはロシア国境に近く、砲撃はやまない。こうした地上に出られない親子の暮らしも、物資を運ぶボランティア抜きには考えられないのである。

たくさんの個人が始めたボランティア

こうしたボランティアは重要な存在だと、ゼレンスキー大統領は演説で強調した。

今日は国際ボランティアデーですが、ウクライナの（ボランティアの）日でもあります。何百万人もの我が国の人々の日です。（ボランティアの数は）数百人、数千人ではなく数百万人です。（中略）今日、ボランティアは、ウクライナ社会の最も強力な構成要素です。

（2022年12月5日　ウクライナ大統領府HPより）

この数百万人には、一人で活動する個人ボランティアも数多い。だから、大統領もボランティアの団体数ではなく、人数について言及したのだ。

イーゴリ・ツルカンさんもそんな個人ボランティアの一人だ。自分の住むヘルソン市が3月、ロシアに占領された後、自分が営む旅行会社のオフィスで支援を始めた。

その時、占領軍は「人道支援物資」と称する食料やおもちゃを配っていたが、質がよくなかったという。食えたもんじゃない。そんな不満の声も市民の間であがっていた。そこで、イーゴリさんは、オフィスを子供のものを交換する場にすると決心。活動を広げるためのスローガンも作った。

「あなたが持つ品を分かち合い　必要なものがあれば持っていって」

子供用品のうち、分け与えられる品はオフィスに置いて行ってもらう。ほしいものがそこにある人は無料で持って帰れる。そんな物々交換をオフィスで始めたのだ。その場を「子供の物資銀行」と名づけ、評判は口コミでヘルソン市民に広がっていった。

「ロシアの占領からヘルソン市が解放された今も、1歳から9歳の子を持つ50家族に食べ物を主に支援しています。知り合いや近所の人同士の繋がりを大切にしています」

ウクライナの南東部ザポリージャ州でも、心理学者が独自にボランティアをしていた。大学教員のカテリーナ・トロフィモクさんは図書館に定期的に市民を集め、悩みを聞く。大きな砲撃音がして子供らがパニックに陥りそうな時は、深呼吸をさせて落ち着かせる。

カテリーナ・トロフィモクさん。

「微笑みを取り戻したい。市民の心にゆとりがなければ、前線の兵士も戦えませんから」

ザポリージャ州は州の南部、面積にして7割をロシアに占拠されている。また、マリウポリなどのあるドネツク州の前線も近い。そこで、戦うウクライナ軍兵士たちの食べ物や衣服などもボランティアが手作りしているという。そして、そんな支援物資は、ボランティアが自ら命がけで自家用車を運転し、前線まで届けている。

「私も、戦車を覆って隠すための緑色の網を編んでいます。網がかけてあれば、ロシアのドローンも見つけづらくなるのです。ボランティアの女性がザポリージャ市内に集まり、そ

写真上は市民ボランティアが前線の兵士に贈ろうと作った復活祭のためのケーキ。写真下は前線に送る物資を準備し終えた市民ボランティア。ロシア兵に攻撃される可能性もあり、顔が分からないように覆面をしている。両写真：カテリーナさん提供。

うしたウクライナ軍の役に立つものを作っています。前線まで運ぶのはまた別の人々がやってくれます」

カテリーナさんはそう話してくれた。こうした支援も個人単位で行われているのだろうか。

「いろんな人が自主的に集まっています。私も一個人として参加しています」

助け合いを続けていくために必要なこと

各地で人々の生活を支えるボランティア。ゼレンスキー大統領は「数百万人のボランティア」と言ったが、それほどの数が必要なのはなぜか。そうカテリーナさんに尋ねると、次のような答えが返ってきた。

「戦いの前線は１０００キロに及びます。しかも、戦争はすでに1年が経とうとしています。国はすべての分野でお金が足りません。だから、各地でボランティアによる活動がきっちり整えられているのです」

１０００キロは、日本でいえば東京都から山口県ほどの距離だ。カテリーナさんは「前線の向こう側からの砲撃がやみません」とも訴える。とりわけ被害が大きいのが、前線付近に住むお年寄りたちだ。「人生を生まれ故郷で終えたい」と考え、あえて避難しない人が年配層を中心に少なくない。

しかし、彼らを支援するための資金が不足しているとの声もあがる。

「海外からの募金が減っています」。ハルキウ市のボランティア、ガーリャさんはこう嘆いた。そのため、ハルキウではボランティアの数も減っているという。

国際社会の関心が薄れて募金が減れば、ボランティアたちの活動が鈍り、支援を受ける人が苦しむ。前線近くのウクライナ人たちの運命は、私たち海外に住む人々の手にも握られているのだ。

第6章

戦争の前線に立つ市民

——彼らはなんのために戦うのか

２０２２年９月30日、ウクライナ東部・南部にある４州（ドネツク州、ルハンスク州、ザポリージャ州、ヘルソン州）について、ロシアのプーチン大統領は一方的に「併合する」と宣言した。これに対し、グテーレス国連事務総長は「武力行使で他国の領土を併合するのは国連憲章および国際法違反だ」と批判した。

その時、すでにウクライナ軍は、南部ヘルソン州の奪還に向けて作戦を進めていた。10月に入り、ロシア軍に占領されていた州内の村落を次々と解放。11月11日には州都ヘルソン市に進入し、州内の４割をロシアから取り戻した。９月のハルキウ州に続き、ロシア軍は大きく陣地を失い、後退した。

ただし、ウクライナ軍が奪還したのはヘルソン州内を走るドニプロ川の西岸地域に限られた。そのため、ロシア軍は部隊を舟などで渡河させて西岸から東岸へ移動し、そこからウクライナが取り戻した地域を砲撃し続けた。その結果、ヘルソン州は家や公共施設が破壊されて荒廃。ウクライナ大統領府長官顧問のポドリャク氏はその状況について「これが『ロシアの世界』だ。到来し、強奪し、その『証人』を殺し、廃墟となる」とツイートした。

一方、東部ではドネツク州の要衝バフムトが戦いの焦点となり、両国とも多くの犠牲者を出す市街戦が続いた。その後、ロシアは30万人ほど兵士を追加動員し、その一部をウクライナに投入したため、ウクライナが不利になりかけた。それでも、ゼレンスキー大統領は12月20日、バフムトの前線を訪問して兵士を激励。不退転の姿勢を示した。

これらの作戦を進めるウクライナ軍には、大学教員やＩＴ技術者といった職業を捨ててまで兵士になった人がいる。さらには、聖職者や政治家も兵士に志願。女性も兵員の2〜3割を占める。

そんな多様なバックグラウンドを持つ市民兵士を一つに束ねるものはなんだろうか。それを知ろうと、私は前線で戦っている兵士たちに直接話を聞いた。

元大学教員が前線に赴いた理由

「私の一人息子を死なせたくない。それが、私が前線で戦う動機。息子が生きて、自分の夢を人生で叶えてほしいのです」

15歳の息子の母親ナタリアさんは、激戦の続く東部ドネツク州で戦う。ロシアの本格侵攻前はウクライナ西部の国立大学で経済学を教えていた。大学院では「中央銀行の役割」を研究し、博士候補号（修士号と博士号の中間の学位）も持つという。そんな彼女は今、大学教員のポストを捨てて前線に立っている。私はキーウの喫茶店に座り、スマホで前線にいる彼女に連絡を取って、その動機を詳しく尋ねた。

「もし、ウクライナ軍がロシア軍に勝てないまま和平を結んだ場合、ロシアがウクライナ征服の野望を捨てるとは思えない。その後も繰り返し襲ってきて、再び我々の息子たちを殺そうとするでしょう。２０１４年、東部ドンバス地方で親ロシア派との戦争が始まり、ロシア軍が彼らを支援しました。その後に外交交渉が試みられましたが、結局ロシアは本格侵攻した。それがなによりもロシアのウクライナを軽んじる姿勢を示しています。私は、この状況を少しでもよくしたくて仕事を変えたのです」

ナタリアさんは静かな声で語ってくれた。勝利しない限り、ロシアの「ウクライナ蔑視」の姿勢は変えられそうもない。それでは息子の安全は守れない。だから、外交に期待するのではなく、前線で武器を取るしかないというのだ。

また、戦いに参加する動機として、ウクライナの言語や文化も彼女は挙げた。

「私たちは、ウクライナを（これまで水準が不十分だった）自分たちの言語や作家、文化を持てる国にしたい。そのためには国の独立が必要です」

これも、子供や孫らの世代を思っての言葉だろう。彼らが大きくなった時、戦う必要がなく、文化活動に専念できるようにしたい。だから、自分の世代は戦争によってその環境を整備する、ということだ。

40人の部下を目の前にして

前線でナタリアさんは部隊指揮官になった。自分の前には40人の部下が整列している。戦いに向けて部隊がどう動けばよいのか。彼らはナタリアさんの指示を待っていた。

「最初のうちは、こんな男ばかりの環境でどうしたらよいだろうかと考えました。男性40人分の視線はプレッシャーでした」

40人は、もちろんこれまで接してきたような学生ではない。「これからの戦闘について説明しましょう」といった大学の講義調は通用しない。思い切って罵詈雑言に切り替えた。英語の「F〇〇k your mother」に相当する、母親を侮辱する言葉を言ったのである。

「もちろん、大学で学生にこんなことは絶対言いません。軍隊では『すみません、右へ進軍してください』とか、『戦列に戻っていただけますか』といった言い方は通用しないのです」

母親を罵る悪い言葉は、軍では士気を高めるらしい。歩兵たちが敵を攻撃しに塹壕を飛び出す時、「敵をF○○kしようぜ」と声をかけあう。すると、不思議と元気が出るようなのだ。ナタリアさんは、それに倣《なら》った。すると、部下たちはよく動いてくれるようになったという。

戦う時は性格も変わるという。部下からは「厳しい上官」と恐れられるようになった。

誰もが戦いに参加できるように

性格も変えてしまうような、厳しい戦場。そこでは女性であるがゆえに戦いづらくなることはあったのだろうか。

「そこに矛盾は感じません」

ナタリアさんが指揮するのは、直径60～１２０ミリの砲弾を撃つ「迫撃砲」の部隊だ。射程が数キロのため、ロシア軍の陣地近くまで行かざるをえない。そんな中、ナタリアさんは兵隊とともに戦場を動き、任務を遂行。掩壕《えんごう》（上空からの攻撃から身を守る施設）に戻り、男性兵士たちと一緒に隠れ、敵の砲弾の嵐をしのいだ。

「私はそうやって模範となるよう努め、部下が『指揮官が女性か、男性か』を意識させないようにしてきました。前線では、男性と女性の区別はなく、私も指揮官として男性を束ねられるようになりました。心の交流のようなものはありますよ。男性兵士がチョコ菓子など甘いものをくれたりします。敵の砲撃がやんだ時ですが」

セクハラ問題もウクライナ軍ではない、とナタリアさんはいう。

「あれば、軍の任務に支障が出てすぐ問題化するはず。でも、そうした話は聞きません。戦争中の国ですから、軍が女性兵士を大切にしなければ負けてしまいます。女性たちが衛生兵や通信兵、戦車兵などになり、後方だけでなく、前線でも戦えるようにしなければならないのです」

今、ウクライナ軍全体で女性兵士は5万人を超え、多くが軍の作戦の中核を担っている。

背嚢につけた人形

ナタリアさんは部下に言うことを聞かせられるようにはなったが、「戦況は常に厳しいまま」だという。東部戦線では、戦闘が激しくて目の前のことしか考えられない。朝起きるとすぐ、ロシアの砲撃を受け、空軍機が爆撃してくる。砲撃は10時間続くこともある。ナタリアさんの部隊は、朝食も取れず、男性兵士がひげを剃る時間もないことが多い。

「東部戦線は、危険で痛ましいところです」

一番つらいのは、ロシアの砲撃で軍の仲間が死ぬことだ。悲劇が起きた時は、部下に自分は何もしてやれなかった、守れなかったという意識に苛《さいな》まれる。

「私のスマホには彼らの電話番号や通信記録が残っています。今後削除することはないと思います。これは自分の国土を守るために死んでいった人の証《あかし》ですから」

前線では家族との絆の「証」として、人形を持つ女性兵士も多いという。持ち込まれるのは、多くがふわふわの人形。犠牲が多い中での心の支え、子供の代わりだと思って、苦しい時に抱きしめるのだ。ナタリアさんも自宅から１０００キロ以上離れた東部ドンバスの掩壕に持ち込んでいた。

「背嚢《はいのう》にくくりつけています。背嚢と一緒に人形は残したまま、敵の砲撃音がやむとまた掩壕から出て、部下たちを指揮します」

人形だけでは我慢できない時、ナタリアさんは息子にスマホで電話もするという。

「息子が恋しくて仕方ありません。いつも、『愛している』と言っています」

直接会うことは叶わない。半年以上、息子と夫に再会できるのは、スマホの画面を通してのみだ。彼女はインタビューの最後にこんなことを言った。

「もちろん、早く帰って家族を抱きしめたいです」

前線に持ってきた我が子代わりの人形を見せる女性兵士(ナタリアさんとは別の兵士)。

神父も前線へ

ウクライナの前線で戦う人々の中には宗教者もいる。その一人である40代のキリスト教神父パーベルさんにも私はスマホで話を聞いた。

彼も前線にいる。２０２２年8～9月には南部ヘルソン州奪還作戦の一翼を担った。最前線でドローンを操縦し、ロシア軍の位置をそのカメラでとらえ、司令部に伝えていたという。

ロシアの侵攻前は、南部ヘルソン州の小さな教会の神父だった。日曜日には、教会に集まった20人ほどの信者に祝福を授け、教えも説いていた。「汝《なんじ》の敵を愛せ」とキリスト教は説く。神父が戦うことは、その教えと矛盾するようにも思えるが、パーベル神父はこう説明した。

「それは周りからよく聞かれる質問です。私はまったく矛盾を感じていません。なぜなら、私がなんらかの近しい人々、友人を守る時、それは（キリスト教の）愛の表れだからです。敵が彼らを殺しに来た時、愛とはまさに彼らを守ることなのです」

聖書の教えはどうなっているのだろうか。

「私は、聖書に『悪をすべて受け入れよ』とは書いていないと思います。一方、残念ながら、キリスト教には『悪に対して敵対するな』という考え方があります。でも私自身は、そういう考え方はしません」

そして、聖書のある一節を紹介してくれた。

「私が知るキリストとは、次のような場面です。『鞭《むち》を手に取って、神殿から、なんらかの悪をなした、人々をだました商人や強盗たちを追い出した』。（このキリストの行為は）ある種の強制です。強制は広い概念ですが、今、私が語っているのは、まさに戦闘行為のことです。それは、強制の中でも防衛的であり、人々を守ることですから、正当化されるのです」

前線でドローンを操縦して戦うウクライナ人兵士。

　パーベル神父は、福音書をもとに語っている。その内容は次のようなものだ。

エルサレムの神殿で、聖なる場所にもかかわらず、商売を営む者たちがいるのをキリストが見て、縄で鞭を作り、神殿から何もかも追い出し、両替屋の銭をまき散らし、その台をひっくり返し、鳩を売る者に鳩をもってゆくように言った――。

この「まき散らし」「ひっくり返し」という行為が、パーベル神父は強制または暴力と解釈できるとしている。そして、彼は今（取材当時）も前線に立っている。

戦いによって破壊し尽くされた村々

宗教も暴力性を身近な者を守る場合は必ずしも禁じていない。それがパーベルさんの考えだ。

とはいえ、戦争では、平穏に暮らしてきた市民の家々も破壊される。自軍が作戦のために占領された町を攻撃したことで、破壊されることもある。そこに矛盾はないのだろうか。

実際、ヘルソン州の解放作戦では、両軍の前線が存在する村々が戦いの場となった。それは、ロシア軍が前線付近のウクライナの村々の中に陣地を築いたためだ。その陣地を奪い合う戦闘が起きた。その詳細はパーベル神父によると次の通りだ。

　まずロシア軍の陣地の一部を大砲や航空機の爆弾で破壊する。そののち、ウクライナの装甲車や歩兵が入り込み、敵からの砲撃を最小限に抑えながら、そこも通過して先へ進む。そして、自分たちが陣地を築くことで、前線がより先へ移動する（ロシア軍から見れば、前線が後退する）。そうした戦闘のプロセスを何日も続ける。もちろん、ロシア軍も同様に攻撃してくるため、前進したり、後退したりを繰り返すのが常だ。

　そして、その戦いの結果が、家々が破壊され尽くした村の姿だった。

「村へ撃ち込まれるのは、ミサイルや大砲の弾丸、航空機の爆弾、戦闘ヘリコプターの銃撃――とあらゆるものです。前線から少し離れた村の場合ですと、一部の家が破壊されるだけですむ、というケースもあるのですが」

　ウクライナ人住民は、戦闘の間、自主的に家々にある地下壕に隠れる。この「自主避難」はヘルソンに限らず、ウクライナのどこでも戦いがある場所では行われている。またウクライナの当局は戦闘を始める前に、安全確保を呼びかけているという。

「住民にはアナウンスで、町や村から離れるか、地下壕に隠れるよう促しています。犠牲が出ないよう最大限の努力をしています」

とはいえ、ウクライナ軍は、町村が破壊される可能性が高いとしても戦わざるをえないと、パーベル神父はいう。結局、私はパーベル神父から、宗教が戦闘による破壊を認めているのかどうかについて、腹の底から納得できる返事は聞けなかった。

「ほかの道はないのです。敵をなんらかの形で叩かなければならない。そうしなければ、我々は勝てないし、（占領された国土の）解放もできません。それが戦争なのです」

自分の目の前にいる敵を倒すことが、結果的に国全体の勝利を導く。それが実現できなければ、身の周りの攻撃されている人々を守ることはできない。それが、ロシアから侵略を受けたこの国における愛の実践といえる。そう、パーベル神父は考えている。

我が身の安全を左右するもの

身の周りの人を守るために戦いへと赴くパーベル神父。一方で、我が身を守れるかどうかは運次第だ。南部ヘルソンにロシア軍は多数の地雷を敷設。それにより、ウクライナ軍が進みそうな道は、すべて通りにくくされている。パーベルさんも、地雷を踏みかけて死にかけたことがあるという。

「我々ドローンを操縦する部隊は三人からなり、移動は迷彩色のジープです。ある時、ロシア軍の斥候《せっこう》兵《へい》が遠くにいたので、できるだけ近づこうと、ヘルソン州のある村の橋をジープで渡りました。通過した直後、我が軍の歩哨に会ったのですが、彼から『どうやって渡れたんですか。橋には12個の地雷がしかけられているんですよ』と聞かされました。その直前には3両の車が地雷を踏んで破壊されたといいます。それを知ったのも橋を渡った後でした」

地雷を踏まなかったのは、ただただ運がよかったからである。

また、砲弾が我が身に当たるかどうかも運次第だ。塹壕に隠れていても砲弾が塹壕に直に飛び込めば、兵士は死んでしまう。

「ドローンを使ってロシア軍の動きを偵察する我が部隊は、彼らにとって最優先の攻撃目標です。我々は、彼らの位置や動きを探るため、前線深くまで入り込んでいくからです。そうした任務の時は、特に激しい砲撃を受けます」

地上での戦闘は意外と短い。敵と直接向き合って砲や銃を撃ち合う場合、数分で終わってしまうこともある。

「1分でも気を抜けば、弾が当たり、手足を失うこともありえます」

前線にいるウクライナ軍兵士は、今この瞬間、自分と仲間が殺されないように気を張っている。聖なる祈りの言葉を唱えている余裕は、戦場ではほとんどないのだ。

そのようにして自分の命をかけて戦う動機はなんなのか。私がそう問いかけると、パーベルさんは次のように聞き返してきた。

「『戦争する動機』という言葉の意味が分かりません。私たちに『戦いたい』という動機はないですよ」

私は質問を変えて聞いてみた。仲間の兵士の犠牲を出しながらも、「戦いを継続」できる理由はなんなのだろうか。

「私たちが平和に暮らせるようになりたい、ということです。戦争すること自体が目的なのではなく、第一に自分の家族を守りたいのです。そして自分の国を守ること。また、自由に生きられるようになることです。ここ（前線）にいるのは、戦いたくてアドレナリンがわいているというのでは全然ありませんよ。ロシアからウクライナを解放する以外の選択肢がないからです」

兵士となったインフラ大臣

　これまで一般人に戦場に赴く理由を尋ねてきた。一方、この戦争には元閣僚までもが参加している。インフラ担当大臣を２０１６年から３年間務めたボロディミル・オメリヤンさん。彼は２０２２年の半年間、南部ヘルソン州の作戦でドローンの操縦や補給の任務に携わった。

「任務では、日本製の車に乗っていました。本当は装甲車がよかった。その中にいれば、敵の砲弾の破片を浴びても大丈夫ですが、民間車は装甲がないので、砲弾が中まで貫通してしまいます。それで亡くなる人は少なくありません」

　こうした危険な任務に、閣僚も経験した有名人がつくことを周囲は反対しなかったのか。オメリヤンさんはオーストリアで外交官をし、財務官僚も務めたこともある。

「反対はされました。私が死んだり、捕虜になったりした場合を考えろ、と。確かにロシア側の戦果となり、宣伝材料に使われる可能性はゼロではありません」

　だが、熟考する時間はなかった。２月24日に始まった本格侵攻で、祖国を守るのか、守らないのかの二択を迫られたからだ。ロシア軍の車列が首都に迫る。それなのにウクライナは

前線の塹壕で任務につくオメリヤン元インフラ大臣。

国際的に孤立し、イギリスを除く欧州諸国は助けてくれそうもない。そう感じたオメリヤンさんは首都近郊の空港へ向かい、自ら銃を取ってロシア兵に立ち向かった。そして、その後ウクライナ軍に正式に入隊した。階級は一兵卒だった。

「元大臣が参戦すれば、『ウクライナは国をあげて戦うのだ』という雰囲気が盛り上がるだろうと思いました」

オメリヤンさんはさらに、将校である「大尉」に昇進し、南部ヘルソン方面へ転戦した。そこでは週1回「最前線へ行け」と命じられた。ウクライナ軍の位置を偵察するロシア軍のドローンを撃墜しろ、と言われたのだ。戦闘は想像以上に激しかった。

「撃墜するとすぐ、ロシアはこちらの居場所を探知して砲撃してきます。砲弾はかなり正確に飛んできます。控えめにいって、反撃を受けるのは気持ちのいいものではありません」

戦場では自身の身を守るためにも敵を倒さなければいけない。しかし、軍から正式な訓練を受けないまま、敵とはいえ人を殺す作戦に参加するうち、罪悪感のようなものに苛まれることはないのだろうか。

「殺すこと自体が好きになったら、それは感覚がおかしい。しかし、前線では相手を倒さなければ、こちらがやられる。やるか、やられるかです。心の痛みはありません」

それでも、南部戦線で部隊指揮官をやるよう上官に依頼された時は断った。もともと彼は官僚で、軍の経験はほとんどない。

「自分が部隊を指揮すれば、きっと過ちを犯す。それで部下が死ぬ。そんなことは耐えられない、と上官に言ったのです」

そして、階級は将校のまま、部下を持たない「一兵卒」として、車に乗って最前線へと通った。ロシアのドローンを追いかけながら、戦い続けた。オメリヤンさんはインタビューの最後に「再び戦うため、今度は東部戦線へ行く」と述べた。

〝第二の軍隊〟

ウクライナには軍のほかに、外国では無名の「第二の軍隊」がある。インタビューの中で、オメリヤンさんはそんなことも教えてくれた。

「それは、ウクライナ国鉄です。二十数万人の国鉄職員は鉄の規律で、国の輸送を支えています。インフラ大臣の時、私は国鉄も担当していました。かつては組織内に汚職もあってひどいと思いましたが、戦争が始まった今、すばらしい働きをしているのです。私たちインフラ省関係者は『第二の軍隊』とひそかに呼んでいます」

西側諸国は戦車などの大型装備をウクライナ軍に支援し、引き渡している。それを運ぶのがウクライナ国鉄だ。「輸送網」は、戦争をしているウクライナにとって血管のようなものである。それが止まれば国家が成り立たない。ゼレンスキー大統領に会うために各国首脳がキーウを訪れる際も、使うのは鉄路だ。戦時下で最も安全な輸送手段だからである。

つまり、ウクライナ国鉄は、この戦争に必要な物資を運ぶ最も強力な組織、その職員は戦争で最重要なロジスティックス（兵站）を担っている。オメリヤンさんは、「欧州以上です」

と自国の鉄道の力を評価する。

「欧州の鉄道は平時でも遅れますが、戦時でもウクライナの鉄道は定刻通りに運行できています」

私自身、ウクライナ国鉄に何度も乗ったが、第5章で触れたハルキウ市に行った時以外、定刻通りに発車し、定刻通りに到着した。ここまできっちりと運行できているのは、職員たちが規律を守るからだ。

「上から命令されれば、その通り動く。上司に『その命令はなぜですか』とは絶対聞かない。まさに軍隊調です」

戦争の影響を受けてはいるが、修理の態勢はしっかりしている。線路がロシアのミサイルで破壊されても数時間で修復できる。ただし、橋だけは例外だという。橋が攻撃されると、数週間から数カ月通行できなくなる。

戦線が前進したり、後退したりを繰り返すウクライナ軍。世界が日々目を向ける戦いのゆくえは、世界では知られていない鉄路による前線への兵站、その前線に陣取る市民兵士ひとりひとりの戦いにかかっている。

クリスマス休暇で故郷に一時戻ってきた若い兵士たち（リビウ市で撮影）。

第7章

キーウの豊かな生活の裏で

――ミサイルが落ちてくる日常

歴史上初の「稼働中の原発への軍事攻撃」を、ロシアは２０２２年３月４日に行った。狙ったのはウクライナ南東部にあるザポリージャ原発。原子炉が６基ある、欧州最大級の原発である。

その後、ロシアは原発敷地内を事実上の軍事要塞《ようさい》のようにし、ロシア国営の原子力企業ロスアトムの幹部を、原発運営のために送り込んだ。もとからいたウクライナ人技術者らは、ロシアの支配下でも安全第一を胸に、原発事故を防ごうと懸命の努力を続けた。

しかし、原発付近への砲撃は続き、１年間で６回も原発は電源喪失に陥った。つまり原子炉の冷却用の外部電源が失われ、非常用ディーゼル発電機を稼働させて事故を回避する事態に陥った。

国際原子力機関（ＩＡＥＡ）のグロッシ事務局長は、原発を査察した２０２３年３月30日に「放射能汚染を伴う原発事故が起きれば、誰も助からない」と声明を発表。ウクライナでは、原子力専門家の間で２０１１年に東日本が被ったのと同等か、それ以上の被害が起きかねないとの懸念が強まった。

ほかにも、ロシアは２０２２年10月10日、数十発から１００発ものミサイルをウクライナ各地に一度に発射する攻撃を開始。電力インフラのほか、住宅、病院、学校などを破壊した。

10月以降、数日から10日に1回ほどの頻度でこうした攻撃が繰り返され、多くの人が死傷し、大規模停電により市民生活にも影響が及んだ。

ただ、電力不足が続く中でも、キーウなどの都会ではレストランで食事をしたり、劇場で観劇したりする市民も少なくなかった。なぜそうした市民生活を空襲下で続けられたのだろうか。

豊かな生活が営まれるキーウ

サントリーの高級ウイスキーに、日本でも有名な日本酒「越《こし》乃《の》寒梅《かんばい》」。キーウ市内のスーパー「ＷＩＮＥＴＩＭＥ」には、日本や欧米の高級酒が棚に並ぶ。ほかにも、ラムやジン、ワインなど数百本が取りそろえられている。ここは戦争をしている国だ。なのに、なぜこんなにたくさんのお酒があるのだろうか。思いもよらぬ光景に疑問がわいた私は、ウクライナ人店員に尋ねてみた。

「酒だけじゃありません。肉や魚も置いています。その中から選んで店内の調理コーナーに持っていっていただければ、調理員がいますので温かい料理もここで食べられます。もちろんアルコールも一緒にどうぞ」

肉の加工品は、国産のほかドイツなどの産品もあった。魚も鮮魚が並ぶ。すべて鉄道とトラックで輸送し、首都まで運び込んでいるのだ。

店員の言う通り、この店には奥にイートインのコーナーがあった。テーブル席が約10席あり、数十人が座れる。私はタコの足とキスに似た魚を選んで調理コーナーに持っていき、食事をした。その量は多く、少し残してしまうほどだった。

私がキーウで借りていたアパートの近くでも、イタリア料理やジョージア料理、アジア料理などのレストランや、多数の喫茶店が営業していた。

ある時、イタリア料理店で地元住民十数人が、誕生パーティーを開いていたことがあった。歌を歌ったり、大声で話したりの大騒ぎ。「キャー」という甲高い歓声があがった時は、隣席にいた私は思わず耳をふさぎたくなった。「志願して前線で戦っている兵士もいれば、こうしてレストランで楽しむ市民もいる。人によって価値観が違うのだろうか。前線にいる兵士たちは、後方でこうした生活を享受する人々がいても納得しているのだろうか」。彼らの姿を見て私はそう思った。そして、このことを思い切ってウクライナ人ジャーナリストに話

キーウの地下鉄駅構内に貼られたポスター。『全ての市民兵士よ。すぐそばで応援しています』と呼びかける言葉が書かれている。こうしたポスターはキーウ市内では珍しく、戦意高揚のためのポスターは皆無だった。

したところ、彼からは次のような答えが返ってきた。

「普通の生活を営む人々がいてこそ、前線の兵士も戦える。暮らしを守るために兵士がいる。国民全員が戦争に狩り出されるようになったら、勝てないだろう」

レストランだけでなく、近所のスーパーも普通に営業していた。特にペットコーナーが充実し、犬猫のエサも数十種類ある。パッケージ入りのエサは大きさに応じて数十円から１０００円、缶詰は数百円と、お手頃な価格だ。オイル類やソーセージは日本よりずっと種類が多い。ウクライナの企業が作った寿司、インスタントの野菜うどんといった日本食も棚

クリスマス用品を選ぶ若い男女（左）。このスーパーはウクライナ有数のチェーンで、食料などは一通りなんでもそろっていた（右）。

にある。また、取材当時はクリスマスシーズンを控えていたこともあり、若いカップルがツリーの飾りつけを選んでいた。これも赤や緑の飾りなど、数十種類ある。

品によっては日本のスーパーより豊かだ……。そう心の中でつぶやいた。

バレエの公演を続ける理由

豊かさは、芸術でも感じた。

キーウが誇るウクライナ国立歌劇場。１５５年の歴史を持つ、ウクライナの宝だ。

私が訪ねたその日はバレエの『ドン・キホーテ』を上演していた。あごひげをつけ、顔を白く塗った細身のドン・キホーテがくるくると舞う。１階席から大きな拍手が沸いた。本当に戦争中なのか……。ここでもそんな疑問が心に浮かんだ。

だがそれは、考えが浅かった。実はロシアのミサイル攻撃でしばしば空襲警報が鳴るため、公演は大幅に規模が縮小されていた。主催者の招きで楽屋を訪ねると、この日出番のないバレリーナが、静かな口調で語ってくれた。

「お客さんは１階席だけ。２階席以上は入れません。ミサイル攻撃があれば、空襲警報が鳴る。すると、劇場地下の防空壕へご案内しないといけません。１階席の人数だけなら防空壕へ入れますが、それ以上は入りきらない。２〜５階席にお客さんを入れるのは危険なのです」

舞台上のバレエダンサーの数も、ロシア侵攻前より少ないという。ウクライナでは侵攻後に、約１２００万人の国民が国外へ避難した。ダンサーが少ないのは、一部が国外へ避難し、海外で活動を始めたためである。ドン・キホーテを囲む踊り手は、少しまばらで、バレリーナ同士の間にちょっとだけ空間ができていた。

なぜそこまでして公演を続けるのだろうか。その気持ちを、舞台が終わって楽屋へ戻ってきたあるバレリーナが話してくれた。

「私たちは公演で人々の気持ちを奮い立たせたい。（普通の生活を送る）人々が元気であれば、前線で戦っている兵士の支えになるでしょう。芸術という戦線で私たちも戦っています」

身近に迫る脅威

ミサイル攻撃は身近に迫っていた。私が楽屋にいると、隣に座る劇場スタッフがその体験を話し始めた。

「自宅に向かってミサイルが飛んできたんです。ヒュッという音がして、屋根の上を通過した。少し軌道が低かったら、生きていられなかったでしょう。水道も一時止まりました」

ミサイル攻撃は、キーウで誰もが話題にする、「身近な話題」になってしまった。

私も直接ミサイル攻撃の影響を受けた。それはキーウで借りていたアパートでのトイレ中。水を流すレバーを回しても流れなかった。トイレが故障したのかと思ったが、違った。その直前、ミサイル攻撃を受けた変電所が止まり、一帯が停電になったのだ。それでアパートの水道ポンプが止まった。

部屋は暗くなり、Ｗｉ‐Ｆｉも使えなくなった。今度は自分の部屋にミサイルが落ちるかもしれない。避難壕に入るため、私は国鉄のキーウ駅へ向かった。駅付近ならＷｉ‐Ｆｉも使えるだろう、と思った。しかしそれは甘い考えだった。

キーウ駅の建物を右手に進むと、コンクリート製の巨大な防空壕がある。空襲警報が鳴る中、人々が入り口から階段を下りていく。地下には30メートルほどの通路があり、その壁の左側が十数カ所、洞窟のように奥に向けて穴が掘られていた。その内部がコンクリート壁で覆われた避難所だった。

私はそこに入って、ノートパソコンでＷｉ‐Ｆｉに接続を試みた。しかし、電波は届かない。周りの避難者に聞くと、通路の中の１カ所だけ繋がるスポットがあるという。私は通路に出てそこへ移動し、あらためて接続を試みた。しかし、そこでも無理だった。落ち着いて考えてみれば当たり前だが、地下にいたために電波が弱かったのである。

自家発電機が支えに

　それにしてもこの地下壕は、１００人程度しか避難していなかった。その広さはキーウ最大級で体育館よりも大きいが、人は少ない。まだ空襲警報は発令中。不思議に思い、近くの地下鉄駅へ行ってみたところ、ここも構内の避難者は１００～２００人ほど。その後、地上に上がると、駅のそばの人混みは地下鉄駅の中と同じくらいの人数だった。この地下鉄駅は人口数十万人の地区にある中心駅の一つだ。それにしては避難者の数は多くなかった。

　これには事情があった。空襲警報は毎日出る。１回当たり数時間続く。それが１日２～３回と繰り返されることもある。そのたび地下壕に行っていたら何もできない。そう考えて、職場で仕事を続けたり、自宅に残ったりする人が少なくなかったのだ。キーウ市民の間には「慣れ」が生まれていた。

　また、自家発電機が普及して電力不足を補ってもいた。

　例えば、喫茶店だ。それは「Ｗｉ‐Ｆｉ飢餓」から救ってくれる、空襲時のオアシスだった。特に大型チェーンの店は設備が充実していた。自家発電機を備え、ロシアのミサイルが

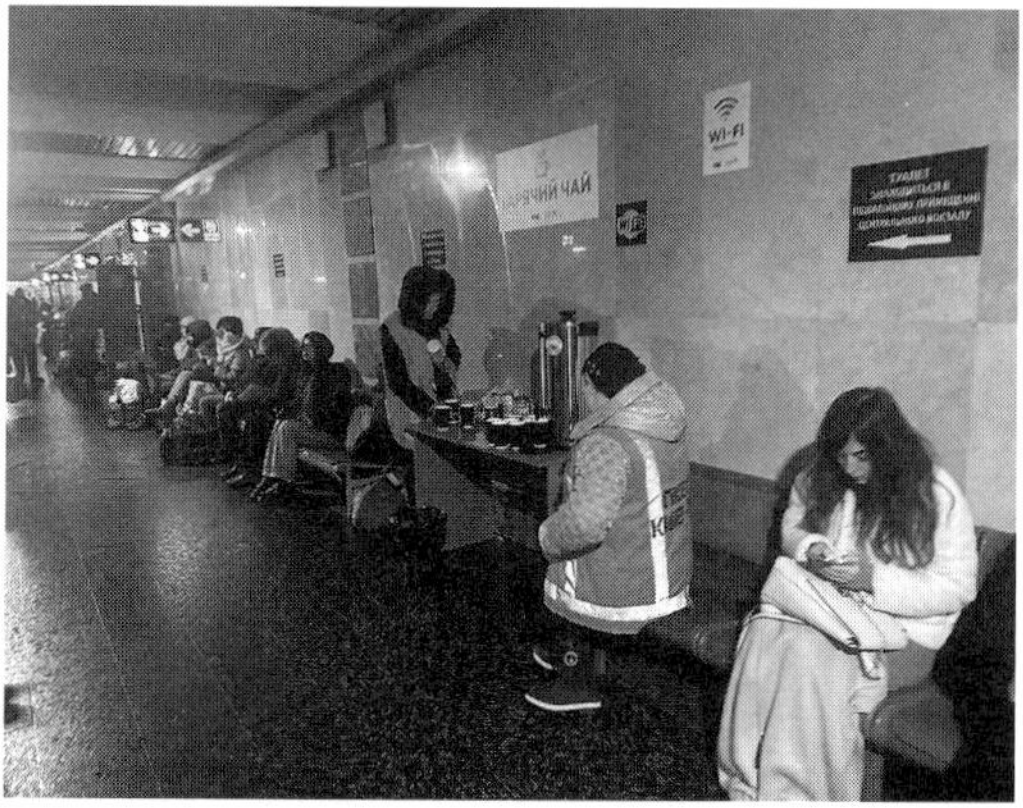

空襲警報が発令され、キーウ駅そばの地下壕に避難した人たち（上）。地下鉄のプラットフォームも避難先となるが（下）、どちらも人は少なかった。

喫茶店は空襲時のオアシス。Wi-Fi が飛んでいて、パソコンで仕事をする人々で常に満席だった（キーウ市で撮影）。

発電所や変電所を破壊しても電気がつく。店専用のＷｉ－Ｆｉも備えていて、パソコンやスマホを使う客に優しい。壁にはコンセントがたくさんあり、パソコンの充電もできる。空襲警報のたびに、ネットを使いたいサラリーマンや学生でそうした喫茶店は満席になった。

　もちろん、ミサイルが喫茶店を直撃すれば命はない。しかし、人口約３００万のキーウに落ちるミサイルは多くて１日に十数発。喫茶店の常連客で、仲良くなったＩＴ技術者のニコライさんは「それが当たる確率は低い。気にしていません」と言った。

　一方、「家族や恋人、ペットの命が大事」と感じる人々ももちろんいる。そういう人は、愛する人や犬と一緒に避難したり、自宅の中でも多少とも「安全」と考えられていたバスルームにこもったりした。

　自家発電機は、冒頭で紹介したような大型スーパーも持っている。レストランも多くが発電機を店外の路上に設置し、営業を続けた。また、病院などの公共施設では、行政が超大型の自家発電機を優先的に置いてもいた。だから、一見すると通常の市民生活が営まれていたのである。

ただ、キーウのレストラン街を歩くと、店の発電機のモーター音があちらこちらで響き、工場の中にいるみたいだった。不気味な賑やかさが街を覆っていた。

それでも電力不足に悩まされる市民

一方で、経営の苦しい店は発電機を設置できず、ミサイル攻撃による停電に苦しんだ。

「その料理はできません」

キーウのあるレストランで注文したら、ウェイターにこう言われた。

「厨房が停電でダメになりました。サンドウィッチなどの温めない料理なら出せます」

閉店時間を数時間早め、午後8時前に閉まるレストランも現れた。商店では、停電中は冷蔵庫が使えず、アイスクリームや冷凍食品が溶けてしまう。カード決済の機器も動かなくなり、現金でしか買い物ができなくなった。
こうしたミサイル攻撃の理不尽さをゼレンスキー大統領は次のように批判している。

> 敵は今日、またしても我が国を大量のミサイルで攻撃した。90発が撃ち込まれ、エネルギー施設、企業、住宅が破壊された。（中略）多くの市町村で電源が切断され、およそ1000万人のウクライナ人が灯りのない中で暮らしている。（中略）リビウなどいくつかの都市では集中暖房が止まった。全国で通信とインターネットに問題が生じている。（中略）ロシアは「何をしても（国際社会から）罰せられることはない」と感じている。ロシアがその感覚を持ち続ける限り、ミサイル攻撃を受ける脅威は、誰にとってもますます強まるだろう。
>
> （2022年11月15日　ウクライナ大統領府HPより）

飲み水は、前述の通りウクライナの輸送網がミサイル攻撃中も整っていたので、ミネラルウォーターが店頭から消えることはなかった。電気・水道が止まっても、キーウの場合、人々がスーパーに押し寄せたり、パニック買いをしたりすることはまったくなかった。

トイレは水が流れないと困るが、それでもキーウでは数時間で水道が復旧することが多かった。電気も同じく数時間から半日でもとに戻る。電力企業や水道事業者の終日徹夜の復旧作業に、外国から来た滞在者の私も頭が下がった。

「電気がなくても生きていける。ロウソクがあるから。でもインターネットがないと生きていけない」

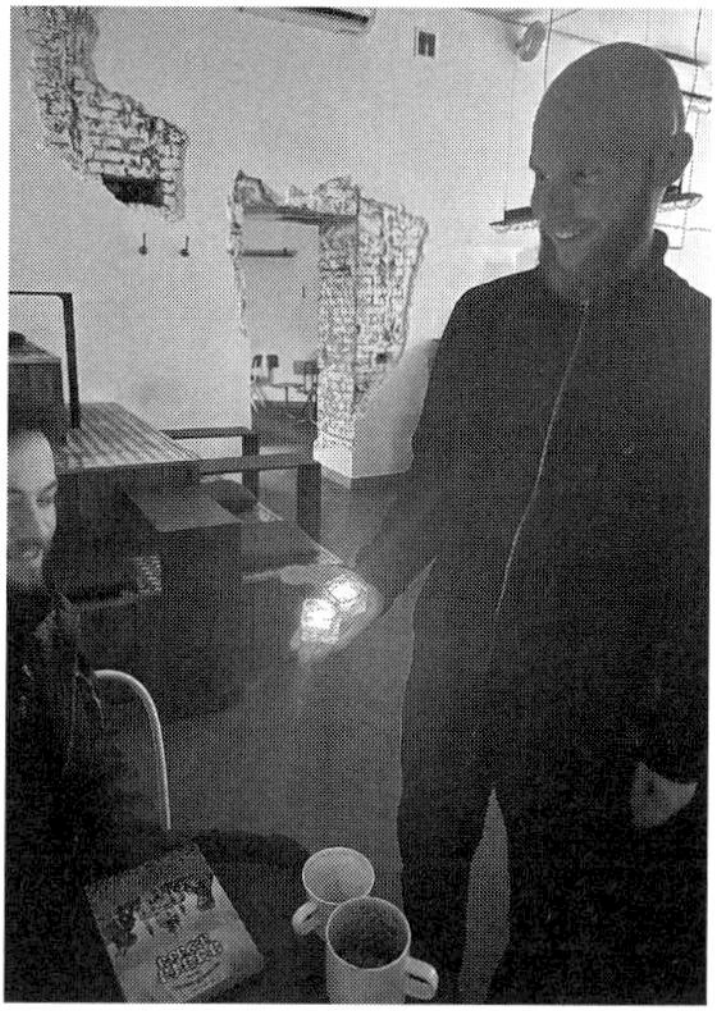

ウクライナではミサイルの影響で停電になることがあった。その際、喫茶店の店主らは客席にローソクを配る（リビウ市で撮影）。

知り合いのウクライナ人はこう言った。

確かに小さな喫茶店やレストランでは、夜に客席やトイレにロウソクを置いていた。向き合って座る相手の顔は暗闇の中にぼんやりと浮かぶのみだが、話したり、食べたりするのには問題ない。

一方、学校教育はネットが切れると全面的に止まる。ミサイルが危ないので、子供たちは学校へはなかなか通えない。そこで、代わりに自宅でオンライン授業を受けるのだが、ネットが繋がらない日は「休校」となる。ウクライナの子は、ロシアのミサイルのせいで、勉強ができないでいるのだ。

人々の移動もネット切断の影響を受ける。ウクライナでは、タクシーはスマホのアプリで呼ぶのが当たり前だ。というより、日本や欧州と違ってタクシースタンドがなく、スマホで呼ぶ以外の手段がない（ウクライナはIT先進国。地下鉄改札口もスマホ対応となっており、スマホをかざして通る人が多い）。ミサイル攻撃でネットが切断すると、アプリが使えず、タクシーを呼ぶことはできなくなってしまう。

実際、私もこの「Ｗｉ‐Ｆｉ飢餓」に悩まされたことがあった。喫茶店でタクシーを呼ぼうとしたら、インターネットに接続できない。次の取材の時間は迫る。すぐにタクシーに乗らないと相手に迷惑がかかってしまう。藁《わら》にもすがる思いで、隣のテーブルに座る青年に助力を求めた。

「僕はポケットＷｉ‐Ｆｉを持っているので大丈夫です。代わりに自分のスマホで呼びましょう。行き先を教えてください」

青年は快く、応じてくれた。タクシーアプリには、乗りたい場所と行き先を入力する。すると、自動で近くにいるタクシーを探し、見つかると、その運転手の名前や車種、料金などがスマホ画面に表示される。

「見つかりました。運賃も僕のスマホで前払い決済しておきましたよ」

彼は20歳の大学生だという。見ず知らずの人にタクシー代約１０００円を払ってもらうのは申し訳ない。現金を渡そうとしたが、「いいですよ」と言って、受け取らない。結局、好意に甘えてしまった。

ネットも電気もしばしば途切れるキーウで、助け合いの精神を感じた瞬間だった。

住宅街を襲うミサイル

キーウでは、スーパーも通常営業し、タクシーも通常運行、市民は一見普通に暮らしていた。それは飛来した敵のミサイルを撃ち落とす防衛システムが守ってくれていたおかげだ。

ただ、システムは完全ではなく、撃ち漏らしたミサイルがキーウ市民の家を破壊することも少なくない。その場では罪のない老若男女が殺されている。

それに、ミサイル防衛網はウクライナ全土で整っているわけではない。前線に近い市町村では、防衛システムが「破れた傘」のように薄く、ミサイルが地上に降りそそぐ。南東部ザポリージャ市もそんな街の一つだ。「準前線の町」と呼ばれ、砲撃が絶えない。

「今朝、ミサイルが落ちました。ザポリージャ市の隣村です」

市内在住のボランティアの女性はそう教えてくれた。私はその現場を一目見ようと、タクシーで向かったが、現場は見つけられなかった。代わりに、タクシーの帰り道にミサイルにより破壊された建物を車窓から目撃した。それはザポリージャ市内の工業地区にあった。工場の灰色の屋根や壁に穴が開き、操業していない。ロシアが狙い撃ったのだ。

ザポリージャの一等地、東京の銀座にあたる街区も同じだった。20メートルくらいの高さの建物はミサイル攻撃で崩れ落ちたまま。ただ、市民にとっては見慣れた光景なのか、乳母車を押した若い父親と母親は、何ごともなかったかのようにその前を通りすぎていた。

住宅街も被害を受けているらしい。市内でクリニックを経営する婦人科医のジャンナ・マカロワさんは、ミサイルが直撃したアパートまで連れて行ってくれた。はきはきとした口調で話す、笑みを絶やさない女性医師だ。

それは9階建てのアパートで、中央部にミサイルが直撃したようだった。不自然にそこだ

ザポリージャ市の目抜き通りに面したビル。ロシアのミサイルで中央部分が崩れ落ち、中の部屋がむき出しになっていた。

けは何もなく、残ったアパートの左側と右側は、二つの建物のように分裂して立っている。

「攻撃を受けた時、住宅の中には人が住んでいました。最初は1階から7階が崩れました。残った8階と9階はしばらく持ちこたえましたが、それもやがて崩れ落ち、中央部がすっぽり消えたのです」

住民は助からなかった。その場で13人が亡くなり、60人が病院へ搬送された。子供も亡くなった。

すっぽり消えたアパート中央部分の地面には、瓦礫の山ができている。中には、おもちゃも混じっていた。パン

ミサイル攻撃によって破壊された9階建て集合住宅。中央部分が崩れ落ち、あたかも二つの建物のようになっていた（ザポリージャ市で撮影）。

ダの絵が表面に描かれた小さな箱も見える。ここに住んでいた子供が、それで遊んでいたのだろう。その日、ロシアがザポリージャ市に撃ち込んだミサイルは16発。そのうちのいずれかが、この住宅に命中したのだ。

「この辺に軍事施設はありません。普通の住宅街です。民間人の命を狙っているのでしょう」

2023年3月にも、ロシアはザポリージャの住宅をミサイル攻撃し、市民が亡くなっている。首都キーウでも、ミサイル攻撃でアパートや学校が破壊され、人が亡くなっているが、それにしても「準前線」のザポリージャは砲撃の頻度が多い。

ロシアの狙いははっきりしている。民間インフラを破壊し、一般市民を殺してゆけば、ウクライナ人の気持ちが萎え、キーウの政権基盤が弱り、停戦交渉をロシアに有利な条件で進められるという考えだ。はたしてその狙いは当たったのか、それとも外れたのだろうか。

ミサイル・ストレスと戦う婦人科医

その答えを探るヒントの一つは、ザポリージャのジャンナさんのクリニックにあった。

クリニックは、戦争でダメージを受けるウクライナ人女性の気持ちを支える、婦人科専門医院だ。その壁も入り口も窓もすべて、厚さ1センチの板で覆われている。院長のジャンナさんが、ミサイルや砲弾が近くに落ちることを想定し、張りつけた。砲弾が近くに着弾してその破片が飛び散っても、これなら院内に飛び込む可能性は低い。こんな鎧《よろい》を着たような建物は、首都キーウではまず見かけない。前線への近さを1センチの板が示していた。

「私の医院では、『二つの壁』の法則を守っています」

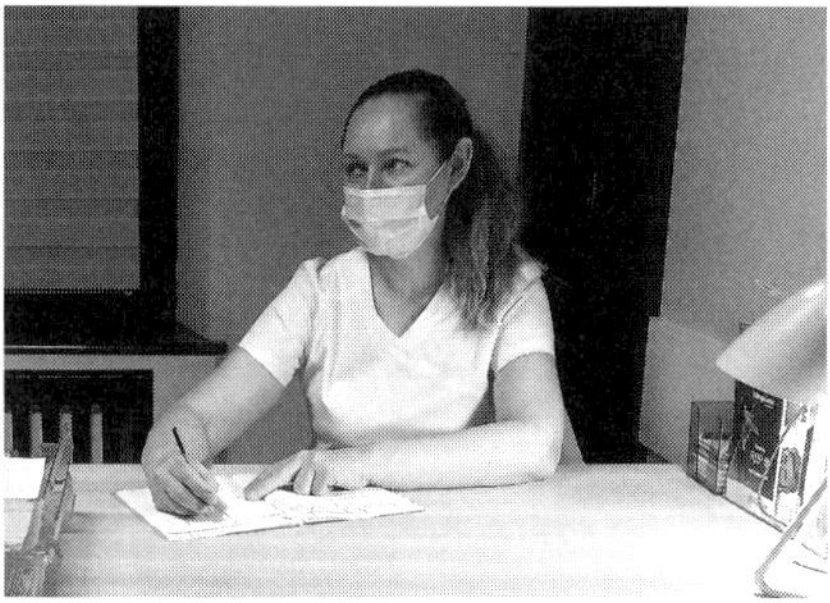

女性患者の悩みを聞くジャンナ・マカロワ医師。ラフマン医院提供。

ジャンナさんはこう話す。それは「砲弾の破片が飛び散っても、人（患者）と破片の間に壁が二つあれば、命が助かる」という、ウクライナの庶民が口にする法則だ。

ジャンナさんのクリニックは個人医院で、診察室の壁は道路に面している。ある診察の時、院内のエコー（超音波）検査で、中年女性の乳房にがんらしい腫瘍を見つけたその瞬間、「ウー、ウー」と空襲警報が鳴った。診察室付近の地点に砲弾が着弾すれば、外壁が崩れ、中に破片が飛び込むかもしれない。

「奥の廊下へ行きましょう。いすがありますから、そこへどうぞ」

ジャンナさんは患者を診察室の奥にある廊下へ避難させた。患者は、外壁と廊下の壁の、二つの壁の内側に移った。診察室にいるよりは安全だ。いすに並んで座り、病状を説明。この患者には、がんの治療が可能な大きな病院を紹介した。

「月経が6カ月ありません」

こう訴える若い女性患者は、「ミサイルによるストレス」がその原因だった。ジャンナさんは1時間ほど彼女の訴えに耳を傾け、心の痛みをやわらげられるよう、励ましの言葉をかけて、女性ホルモンを改善する薬を処方した。

「私自身、患者さんのつらい訴えを聞くうちに、心が折れるかもしれない。いわゆる『燃え尽き症候群』です。そうならないよう、毎日ジョギングし、ストレスを解消するように努めています」

ジャンナさんのような医師、バレリーナ、オンラインで授業をする先生、電力企業社員、その他さまざまな職業のウクライナ人が、ロシアのミサイル攻撃に負けないよう、市民の士気を保っている。ロシアの狙いを許さないために。

電力網の80%が復旧した裏で

市民が長引く戦争を持ちこたえられるかどうかは、電気の確保にかかっている。電気が完全になくなれば市民生活はたちゆかなくなるからだ。例えば、発電所が動かないと地域集中暖房（発電で発生する蒸気をパイプで地域の集合住宅まで送って暖めるシステム）も止まる。実際、多くの住民が寒さに凍えた。だからこそ、ロシアは発電所・変電所をミサイルで攻撃している。

それでもキーウ市民がなんとか生活を営めたのは、火力発電所の復旧を電力会社が急いだからだ。電力復旧の努力については、ウクライナの国営電力会社ウクルエネルゴが、次のような声明を発表した。

ウクライナの電力産業史上、最も厳しかった暖房シーズンを数字で振り返ろう。欧州のどの国も、これほどの破壊を経験したことはない。ロシアは発電の重要施設を、ミサイルとドローンで1200回以上、攻撃した。残念ながら、うち250発以上が着弾し、主要送電網の43％が損傷を受けた。また、火力・水力発電所はすべて、なんらかの損傷を受けた。（中略）空襲警報が解除されるたび、すぐにウクルエネルゴ内の1500人の専門家からなるチームが修理に動いた。（中略）破壊された施設の代替設備を求めて40カ国と交渉した。欧州諸国が支援に動き、ウクルエネルゴはすでに500セットの設備を受け取り、さらに多くの設備がウクライナに運ばれようとしている。今日、損傷を受けた主要送電網のうち80%が多かれ少なかれ復旧した。

（２０２３年４月８日、「ウクルエネルゴ」テレグラム公式チャンネル）

一方で、最大の電力源、原子力発電所はその支配をめぐる戦いの舞台となってしまっている。この戦争では、火力・水力発電だけでなく、原発をいかにロシア軍から守るかが重要だ。原発には核燃料がある。それが爆発すれば、核兵器投下と同じことになってしまう。

だが、その防衛は決して簡単ではない。例えば、ウクライナ北部のチェルノブイリ原発は２０２２年２月の侵攻初日に占拠されてしまった。この時は、ウクライナ軍がロシア軍を１カ月余りで撤退させた。

問題は南東部にある、国の南部に電力を供給していたザポリージャ原発だ。欧州最大級で、かつ国の発電の２割を担うこの原発はロシアの支配下にある。

ロシア軍の占拠は１年を超え、いつ事故が起きてもおかしくない。ＩＡＥＡは「安全保護区域」を設けるよう両国に促すが、軍事活動はやまない。国連も西側諸国もロシア軍を立ち退かせられない。ウクライナ軍も、砲撃して取り戻す作戦は放射能汚染の危険が伴うのでできない。

今のところ、「打つ手なし」の状況である。では、そんな中で、原発で働くウクライナ人職員らは、支配者のロシアとどう向き合っているのだろうか。

インタビュー中に入った突然のＳＯＳ

「君はロシア兵に（原発施設から）追い出されたのか？　どんな連中だ？」

ザポリージャ原発の技術系幹部イワン・マトビエンコさんは、電話相手にこう尋ねた。スマホの向こうにいるのは、同僚のウクライナ人原発技術者。原発の施設から追い出されてしまったらしい。

その時、私はイワンさんの避難先のアパートを訪ね、インタビューをしていた。イワンさんは原発から遠く離れた町に２０２２年の夏に避難したが、スマホを使い仕事は続けた。原発に残る同僚と連絡を取って、電話による〝遠隔操作〟で原発の事故が起きないようアドバイスをしている。安全管理を30年やってきたベテラン技術者である。

電話は「ロシア兵に襲われた」というＳＯＳだった。イワンさんはインタビューを中断し、彼に事情を尋ね始めた。

「追い出しに来たのは、チェチェン人軍団か、ワグネルか、ＤＮＲか？」

彼が挙げたのは、いずれもロシアの部隊の名前だ。原発を支配する軍人はさまざまで、「チェチェン人軍団」はロシア南部から来ているイスラム教徒の部隊、「ワグネル」はプーチン氏の元側近が率いる私兵集団、「ＤＮＲ」は親ロシア派の軍団である「ドネツク人民共和国軍」を意味する。

「分かった。君の同僚たちに連絡してなんとかするから」

イワンさんはそう言って、スマホを切った。何が起きたのか。

「彼がオフィスにいると、ロシア軍の装甲兵員輸送車が乗りつけてきたようです。そして、オフィスから追い出されてしまった、と。兵士らは中に入り、窓ガラスを割り、壁にかけてあった時計を盗んだようです。いろいろ荒らした後、『戻ってもよい』と彼は言われたそうです。部屋を片づけているところだったらしいんですが、いつまた襲われるか分からないので、なんとかしてほしいという依頼でした」

同僚のオフィスは「原発建設本部」といい、原発から約1キロ離れた原発の敷地外にある。原発の修理機材や防護服などを管理する、下支え役の組織だ。

「原発施設のマニュアル類も盗んでいったようです。なんでそんなことをするんだ。連中はろくでなしですよ！」

インタビューの途中だったが、イワンさんは怒りをこらえられなかった。

イワンさんが、部隊の種類を部下に尋ねた理由は、それがＤＮＲ軍ならば、ほかの部隊より危険なので、いっそう気をつけねばならないからだという。

「しかし、同僚も相手が誰なのか把握できませんでした。ロシア軍は頻繁に部隊をローテーションしているので、兵士の所属が分かりにくいのです」

原発を要塞化するロシア軍

ロシアは否定しているが、ロシア軍はザポリージャ原発の中に武器を置いているようだ。

「それは、１号基と２号基の内部です」

イワンさんは、ロシア軍が武器を置いている場所を教えてくれた。敷地には１号基から６号基まで原子炉建屋が、およそ１００メートルおきに並ぶ。そのうち１号基と２号基にロシアは武器を置いているという。「武器庫」となっているのは広いタービン室。この部屋は縦60メートル、横１００メートルで、中には戦闘車両も並んでいるという。

「目立っているのは、兵士を運ぶ『装甲兵員輸送車』と『歩兵戦闘車』です」

いずれも深緑色の軍用車で、歩兵戦闘車には前方に機関砲もついている。

ザポリージャ原発の技術者イワンさんは、ロシア軍が原発敷地内に武器を隠す様子をスケッチしてくれた。

「ロシア軍は原発敷地全体を軍事要塞化しています。絵で描いたほうが分かりやすいですか？」

イワンさんは青色のペンを手に取り、紙にスケッチを始めた。ペンでパイプを示す横線を引き、それを支える柱を示す縦線を描いた。

「これは、原子炉でできた放射性汚染水を運ぶパイプです。原子炉のすぐそばを走っています。パイプは直径が１・５メートル、高さ４メートルのところにあり、いくつもの柱で支えられています。彼らは、柱と柱の間のスペースの地面に武器を置いています」

そう言いながら、イワンさんは兵員輸送車の絵も紙にかいた。そして、軍用車をそこに隠す理由を説明してくれた。

「ロシア軍は、誰もが軍事攻撃しづらい場所を選びました。もしも銃撃でパイプに穴が開けば、放射能を帯びた水が噴き出します。ですから、その付近がウクライナ軍から砲撃されたり、銃で撃たれたりすることはありません。彼らなりに計算しているのです」

西側諸国は偵察衛星を使って原発の敷地を日々モニターしているが、太いパイプがカメラを遮るために、兵器は見つけられにくい。ロシア軍にとって原発ほど便利な場所はないのだ。

イワンさんは原発周辺で戦闘がしばしば起きるわけも教えてくれた。原発から市街地までの長さ4キロの道には、沿うように工業地帯があり、そこをロシア軍は宿営地にしている。

「例えば、工場や企業の建物です。そこをロシアは占拠し、武器や兵員を置く。そこから砲撃しています。それに対して、ウクライナ軍は応戦する。だから、原発付近で砲撃が止まないのです」

監禁部屋で脅されて働かされる職員たち

周りで砲撃が続いても、ウクライナ人職員は頑張った。この点をＩＡＥＡは次のように評価している。

武力紛争開始後の１年、原発事故や住民および環境に放射能汚染をもたらす事故は起きなかった。それはある面、困難な状況にもかかわらず、原発の安全・安心な操業を確保してきたウクライナ人職員たちの忍耐と献身のおかげだ。
（２０２３年２月23日　ＩＡＥＡの報告より）

ただ、ある時、最大の危機が起きた。２０２２年春、ロシア軍の装甲車が第１号基に付属する変圧器を砲撃。弾が内部の冷却パイプに当たった。

「変圧器の冷却装置は、油系統と水系統の２種類があり、別個の部屋になっています。弾が当たったのは幸い水系統のパイプでした。もし油の入ったパイプに当たっていたら、変圧器は爆発したでしょう。すぐ隣にある1号基もどうなっていたか分かりません」

イワンさんは、不幸中の幸いで大事故にはならずにすんだと言った。そうした事故に対応できる、ウクライナ人職員は原発に何人残っているのだろうか。

「もともと1万1000人いましたが、そのうち3000人前後が原発のある町に残っています。ただし、原発の敷地に入れるのは、原子炉や放射線の安全管理に直接かかわる職員だけ。敷地の入り口には二重の検問所があり、ほかの職員は（ロシア側に）申請書を出して許可を得ないと、そこを通れません」

それは、ロシアの国営原子力企業「ロスアトム」がザポリージャ原発に乗り込んできて、武力を背景に原発の操業に関与しているからだ。

「ロシア南部のサラトフ州の原発にいたロスアトムの幹部が、ザポリージャ原発を仕切っています。技術畑のロシア人です」

ロシア側はウクライナ人技術者たちを脅迫しながら、操業を続けようとしているという。いったいどういうことだろうか。

「ロシア人がウクライナ人職員を原発外の市街地に2カ所ある監禁部屋につれて行くのです。そこに一定期間閉じ込めて、服従するよう脅しをかけています」

イワンさんによると、約500人が監禁部屋に連行されて今は解放されている。ただ、その後も300人が監禁中で、まだ戻っていないという。

ザポリージャ原発所長だったムラショフ氏も2022年10月、ロシア軍に拉致されて、3日間行方不明になった。解放された後、彼は所長の職を退いている（後任はウクライナの国営原子力企業「ウクルエネルゴ」トップのコチン氏）。

ザポリージャ原発の支配権は、ロシア側へと移る瀬戸際にあるようだった。

ミサイルの犠牲をなくせる唯一の人

原発を「軍事要塞」にしてしまう。

この戦争が始まるまで誰も想像したことがなかった事態だ。ウクライナ軍もザポリージャ原発を取り戻す作戦をしようとしているようだが、今のところ成功していない。ＩＡＥＡは不測の事故による放射能汚染の可能性を示唆する。どうしたらよいのか。

私たちができることは、ウクライナの一般市民の心が戦争で疲れて折れないよう、また、彼らを支える女性医師ジャンナさんのような人々が活動を続けられるよう、物心両面で応援することくらいしかない。経済的にまだ豊かとはいえないウクライナが、そうした海外からの支援を受けてどれだけ持ちこたえられるかによって、原発の安全を確保できるかどうかも決まるだろう。

最も恐ろしいのは、ミサイルで原発の原子炉が攻撃されることだ。それは核攻撃と同様の被害をウクライナにもたらす。一方で、ザポリージャ原発の技術者イワンさんは、この点について「これまでミサイルが原子炉に撃ち込まれることは一度もなかった。破滅的な結果をもたらすミサイル攻撃はロシアもしないと思う」と私に述べた。

ロシアが今、ミサイル攻撃で破壊しているのは一般市民の生活全般だ。それは都市の送電網だけでなく、住宅や学校、教会など、挙げるときりがない。ただ、ウクライナ各地を歩いてみると、その被害の程度は地域により差がある。ミサイル防衛システムは数十キロの地域しか守れない。守備範囲が狭いのだ。そのため、それが配備された地域の住民は命が助かり、そうでない地域では殺されてしまう、という「命の安全の格差」が生まれている。

冒頭で紹介した一見豊かな市民生活は、ミサイル防衛システムにかなり守られたキーウの地区での見聞である（ただし、キーウでも多くの住宅がミサイルで破壊されている。ミサイル防衛システムは万能ではないからだ）。中でも手厚く守られているのは権力中枢だ。ウクライナ大統領府の近くの高級マンションに住むある人物は「大統領府のあるここは一度もミサイルが落ちてきたことはありません。ドニプロ川の東側に広がる地区は被害がひどい」と話した。大統領をミサイル防衛システムで守るのは当然だろう。他方で、庶民が多く住むキーウの東部地区は、〝山の手〟の西部地区より被害が大きかった。

とはいえ、守られている都市部でも電力不足への対応として計画停電は行われていた。例えば、西部地区の高級マンションも、私が訪ねた時はエレベーターが止まっていた。また、階段を上り下りできない、ウクライナ各地のお年寄りや病人の多くは、エレベーターが停電で止まるたび、集合住宅の中に閉じ込められてしまう。

地方都市はより厳しい状況だった。北東部のハルキウ市に着いた日の夜、私は駅からホテルまで幹線道路を車で走ったが、街灯はまったくついていなかった。街を覆うのは漆黒の闇。「明らかに首都より（電気事情は）悪い」と、あるハルキウ市民は私に話した。

西部のリビウ市も、リビウ駅のすぐ近くでさえ、夜は真っ暗で足元が見えなかった。やはり計画停電が行われていた。私はその時、旅行鞄を引きずって歩いていたが、道の段差につまずいて転んだ。暗闇の中で体が宙に浮き、一瞬何が起きたか分からなかった。左半身を強く打ち、体のしびれが30分ほど続いた。

ただ、ミサイルの直撃を受けたウクライナ市民を思えば、全然たいした話ではない。ザポリージャで見たように、多数の罪のない子供が、ミサイルで殺されている。

ミサイルによる殺人を止められる人物は、発射しているロシア軍最高司令官であるプーチン大統領以外にいない。ウクライナ市民の犠牲は、彼が戦争方針を変えない限り続く。それが残酷な現実だった。

第8章

市民が語るゼレンスキー大統領

——ウクライナを一つにしたもの

２０２２年２月のロシア本格侵攻後、最も長期にわたる攻防がウクライナ東部のドネツク州バフムトをめぐり続く。

本格侵攻の時点でバフムトはウクライナ軍が掌握していた。それに対し、２０２２年５月にロシア軍は砲撃を開始。空爆や地上からの攻撃も行いながら、バフムトの周囲のエリアを陥落していった。ただ、ウクライナ軍は激しく抵抗し、バフムトへの侵入をなかなか許さなかった。そして、ゼレンスキー大統領は２０２２年12月20日、その前線を訪れて兵士たちを激励。２０２３年２月３日には記者会見でも「この市（バフムト）からウクライナ軍が撤退するつもりはない」と表明した。

ただ、バフムトという土地自体は、それほどの戦略的重要性は持たないとの見方が強い。アメリカの国家安全保障会議は「バフムト陥落は、戦争への戦略的インパクトは持たないだろう」との見方を発表している（２０２３年２月14日）。イギリス国防省は「ロシアにとり、象徴的で政治的な目標であろう」とツイートした（２０２２年12月３日）。

ロシアが諦めないことで、勝利のための政治的なシンボルとなったバフムト。ゼレンスキー大統領は２０２２年12月21日に訪れたアメリカに、バフムトで戦う兵士に自らの名前などを寄せ書きしてもらったウクライナ国旗を持参した。そして、アメリカ上下両院の議員を前に登壇し、「この旗は私たちの勝利のシンボルです」と演説。その後、ペロシ下院議長にその旗を手渡し、彼女と抱擁を交わした。議員のスタンディングオベーションは３分間続いた。

こうして西側諸国から強い支持を受けるゼレンスキー大統領。一方、バフムトは５月には市街地のほとんどをロシアが掌握し、いつ陥落してもおかしくない状況だ。苦しい戦いが続く中、ゼレンスキー大統領は、ウクライナ国民の目にはどう映っているのだろうか。

元側近が語るゼレンスキー大統領の変化

「よりタフになりましたね」

ゼレンスキー大統領の親友エブゲニー・コシェボイ氏が、私の目の前に座り、「戦時下の大統領」の姿を語り始めた。コシェボイ氏はウクライナで最も人気のあるコメディアンの一人だ。17年間、やはりコメディアンだったゼレンスキー氏と組んで、喜劇界でＴＶ番組、映画など多くのヒットを飛ばした。

「ひどく年を取った感じがします。（本格侵攻の）前は顔にシワなどなかったのに今はある」

ウクライナを代表するコメディアンのエブゲニー・コシェボイ氏。

それは、タフな仕事の結果だ。ゼレンスキー氏がSNSで国際社会や国民に動画でメッセージを出す際、ひたいに横ジワが刻まれることがある。国の勝利が自分の肩にかかる。これがシワを生み、老けさせたのだろう。

「ゼレンスキー氏は毎日3～4時間しか寝ていません」

それは、毎日朝早く起き、本やスマホで情報収集しているのも一因だ。

コシェボイ氏はゼレンスキー大統領の人柄をめぐり、もう少し突っ込んで説明してくれた。

「正直に言って、ゼレンスキー氏はシンプルな性格の人ではありません。それは平和時（ロシア侵攻前）でもそうでしたし、今も変わっていません。いや、よりタフ（毅然）となったと言っていいでしょう」

コシェボイ氏が述べる「タフ」という言葉（ロシア語）には、「確固たる」「毅然とした」「頑固な」というニュアンスもある。大統領はコメディアン出身であり、明るく楽しいイメ

2022年4月に、ブチャを視察した際のゼレンスキー大統領。ブチャでの惨状を前に表情は険しかった。写真提供：President Of Ukraine/ZUMA Press/アフロ

ージが世間では強い。一方、コシェボイ氏は友人として、また職場の部下として、頑固でタフな面も見てきた。もともとのそうした性格が、戦争指導者となった今、さらに前面に出てきたということなのだろう。

戦争中もお笑いを気にかける大統領

ただし、タフさ・毅然さは、ゼレンスキー氏の性格の一側面にすぎない。戦時下の今も、ユーモア、そしてお笑い芸人たちを大切にしている。コシェボイ氏の話は続く。

「（大統領は）時間のある時、気分のよい時、

我々のお笑い番組について（スマホで）感想を寄せてきます。また、どうやったらお笑いがもっと面白くなるか、助言をくれることもあります。プロ（のコメディアン）としてです」

この「お笑い番組」とは、コメディアン集団「95街区」のものだ。ゼレンスキー氏が生まれ育った町の地区名にちなんで名づけた「95街区」は、かつてはゼレンスキー氏が芸術監督を務め、現在はコシェボイ氏らが率いている番組制作会社である。

「95街区は、週１回、『夕べの街角』というお笑い番組をやっています。２０２３年１月から、（戦時中にふさわしいものにしようと）番組の内容を変えようと計画しました。でも、よい知恵が浮かびませんでした。すると、ゼレンスキー氏から、女性の笑いと男性の笑いを一緒にして、『団結の街角』という番組を作ってみろというサジェスチョンが来たのです」

「95街区」は２０２２年まで、『女性の街角』という番組を作り、女性向けのネタで観客の笑いを取っていた。一方、『夕べの街角』はどちらかというと男性向けのネタが多かったようだ。コシェボイ氏らは、大統領の助言を受け入れ、新番組『団結の街角』を始めた。「団結」という言葉には、戦時下で国民が一つになろう、というメッセージも込められている。

「戦争中ですから、ユーモアも、戦時色を帯びます」

例えば、女性芸人が第４章で取り上げた詩人ストゥスの愛国的な詩の一節を読み上げた後、反ロシアの歌を歌う。男性芸人がラップ調でロシア人を皮肉る。おかしな格好をしてユーモラスに演じているが、内容は戦意高揚であり、観客は緊張感が高まる。

　コシェボイ氏はこうした番組で司会やコントをしており、緊張をやわらげる役を担う。常に楽しい言葉で客席を笑わせており、その際にはよく使うセリフもある。

「ユーモアは武器だ！」

　コシェボイ氏はどんな気持ちで、この言葉を叫んでいるのだろうか。

「ロシアのＳＮＳを見ると、『なんでウクライナ人が（戦争中なのに）大笑いしているのか』と苛立っている投稿が多いです。笑いがある限り、私たちは負けません。最後まで笑い続けます。そして勝利します。ユーモアがなければ、士気も上がらないでしょう。それは兵士たちのことではなく、後方にいる市民のことを言っています」

　コメディー産業が、ウクライナ国民の戦いに向き合う気持ちを醸し出す。そして、ゼレンスキー大統領も密かにそれを支えていた。

元側近が考える大統領になった理由

ゼレンスキー氏は大統領になる前、政治経験はまったくなかった。喜劇界一のスターだった。なぜその地位を捨て、大統領になろうと思ったのか。

「そのプランはずっと温めていたのだと思います」

ゼレンスキー氏とコシェボイ氏は、ほかの芸人とともに、２００５年頃からウクライナ全土を興行して回った。海外でも公演したという。そして欧州諸国で、アメリカで、生活水準の違いを目の当たりにした。

「海外興行からウクライナに戻るたび、感じることは国民の暮らしぶりですよ。（ゼレンスキー氏は）『これらの国と比較のしようがない』と思ったのでしょう。あちらでは、普通のおじいさん、おばあさんが飛行機の切符を買って旅する。ここウクライナでは、ありえない光景です。（ウクライナが独立した１９９１年からの）30年間、お金をかっぱらう習慣が続かなかったなら、同じような暮らしが今頃は実現していたのでしょうけれども」

コシェボイ氏が言う「お金をかっぱらう」とは、ウクライナ社会の最大の欠点、汚職問題を指している。大学の学位をもらうのに教授にワイロを払わなければならなかったり、裁判の被告が有利な判決を得るためにワイロを使ったりといった「悪習」がはびこる。

そのため、ゼレンスキー氏の喜劇界における元側近のコシェボイ氏は、彼が大統領になった動機を、汚職や不正のない豊かな国を作りたかったからだ、と考えている。

コシェボイ氏が撮ったゼレンスキー氏との2ショット。映画のワンシーンの撮影を終えた直後だという。

当選の原動力となったドラマ

コシェボイ氏も出演した『国民の僕《しもべ》』（2015〜2019年）は、ゼレンスキー氏がウクライナ大統領役を務めたテレビの喜劇ドラマだ。その成功が、本物の大統領に当選する原動力となった。ドラマのおおまかな筋書を紹介しよう。

主演のゼレンスキー氏が演じたのは、高校

の歴史の教員だ。彼は授業中に政治への不満をもらす。それを生徒が密かにスマホで撮影してネットにアップする。すると、その動画が世間に出回り人気を博す。そして、本人が知らないうちに大統領選の立候補の準備が進められ、当選。その後、汚職にまみれた国会議員や財閥の大物らを痛快に批判していく。

このドラマには、７００万人近い視聴者がテレビにくぎづけとなった。そのおかげもあり、２０１９年の大統領選の決選投票で、ゼレンスキー氏は圧倒的多数の票を獲得した。ドラマで演じた「反財閥・反汚職の大統領」のイメージを彷彿《ほうふつ》とさせる演説は、ロシア本格侵攻後の２０２２年にも行っている。

　国民同士が対立する時代は終わった。人によっては（悲劇の町）マリウポリを選び、人によっては（欧州の高級保養地）モナコを選んだ。どちらが多数派かがはっきりした。私たちは、ついに統一された。（ロシアの本格侵攻が始まった）２月24日午前４時、新しい民族となって世界に登場したのだ。

（２０２２年８月24日　ウクライナ大統領府ＨＰより）

ウクライナのドラマ『国民の僕』で、大統領となった高校教員のワシリ・ゴロボロジコ役を演じたゼレンスキー氏。写真提供：Best Image/ アフロ

「国民同士の対立」とは、不正・汚職をする人々と、善意の庶民とを対比する言葉だ。「モナコ」は、汚職で蓄財する財閥の親玉らの象徴。大金持ちが本格侵攻後に逃げた保養地である。一方の「マリウポリ」は、第３章で見たようにロシアが破壊し尽くした南東部の町だ。その避難民をウクライナ各地の一般の人々が受け入れたこともあり、ロシアにより苦しむ人や、それを助ける人々など善意の庶民を象徴する言葉となっている。

　ウクライナは「統一性の乏しい国家」で、それは民族的にも（ウクライナ系、ロシア系、その他少数民族がいる）、貧富の差においてもそうだ。それに対し、ゼレンスキー氏はこの演説で、「汚職に染まる財閥と戦い、庶民に寄り添う大統領」というイメージを示しつつ、国民統合がロシアの侵攻によって達成された、と強調したのである。

似たような言葉は、前述のドラマ『国民の僕』でも発している。大統領になった高校教員（ゼレンスキー氏）は、議員らに向け「モルジブやドンペリを忘れるべきだ」と言い放つ。これが視聴者には好評だった。当時の現実社会でも、腐敗したエリートが国の財産を独占していると国民が見ていたのだ。そうした問題をテレビの中の大統領が解決する姿に拍手が送られた。

ただ、ウクライナは貧富の差が大きい格差社会だ。また、第4章で見たように言語をめぐる対立もある。ゼレンスキー氏のいう「統一された」かつ「新しい（ウクライナ）民族」の国を作るのは簡単ではない。

何がゼレンスキー大統領への信頼を生んでいるのか

民族的、あるいは国民的な団結を口にする背景には、大統領自身に対する「信頼」を強化したいという意向もありそうだ。日本を含む西側諸国では、カリスマ性のある指導者というイメージが広がっているが、ウクライナの中で大統領への信頼は、はたしてどれくらいあるのか。

それを知るためのヒントになるのは世論調査だ。

「ウクライナ人の信頼度調査で、軍隊が１位、大統領は６位」。こんな見出しの記事が、ウクライナの有力ネットメディア「ニュー・ボイス」に出た。ウクライナの世論調査機関「ラズムコフ・センター」の調査結果を報じたものだ。

この調査では、ウクライナにある組織ごとに「信頼するか否か」を尋ねた。それぞれの組織につき「信頼する」と答えたウクライナ人の割合は以下の通りだ（調査時期は２０２３年３月）。

１位　ウクライナ軍（96％）
２位　ボランティア団体（88％）
３位　志願兵組織（87％）
４位　国家親衛隊（86％）

5位　国家非常庁（85％）
6位　大統領府（83％）
7位　国境警備隊（82％）
8位　国防省（78％）
9位　ウクライナ保安庁（74％）
10位　国家警察（71・5％）
（以下略。マスコミ、国会、検察などは信頼度が低い）

本書の記述と世論調査の数字は合致する。第2章では、ウクライナ軍を中心に国民がまとまりつつある様子を見た。第5章では、ボランティアがその兵站の一部を担い、さらに崩壊しかけた地域社会を支えている姿を記した。第6章では、軍に一般市民や元大臣が加わっていることを紹介した。

信頼度については、こうした戦争遂行に直接かかわる軍やボランティアのほうが、大統領府よりも相対的に高い。これを見ると、「大統領が軍などをうまく指導できているので大統領への信頼が厚い」というよりも、「軍やボランティアが機能し、よく戦ってきたので大統領への信頼も生まれている」という側面もあるのかもしれない。

とはいえ、大統領府を信頼する国民は８割強に上る。これは各種世論調査の大統領支持率とも一致する、高い数字だ。

時折耳にしたゼレンスキー批判

一方で、私はウクライナを歩くうち、世論の１～２割を占めるとみられる政権批判の声も聞いた。

「現政権は、ロシアの侵攻に対抗できるような武器の生産を止めてしまっていました」

ゼレンスキー大統領以前の政権で、主要ポストを経験した元政府高官はこう話す。

「ロシアが本格侵攻した時、その戦車や航空機を止められる兵器で、ウクライナが保有していたのは、およそ５０００発のスティンガーミサイルと７０００発のＮＬＡＷぐらいでした（いずれも人が肩にのせて撃てる小型ミサイル）。それは西側から供与されていたもので、ウクライナは、そうした効果的な武器を生産していなかったのです。だから、ミサイル不足で侵攻を食い止められなかったのです」

義理の息子が軍人である50代の女性は「道路建設にばかり予算を費やした」とゼレンスキー政権を批判した。道路をはじめとするインフラの建設は、ゼレンスキー大統領が掲げた目玉政策の一つだった。これに対し、ロシアの侵攻直前、地元メディアから「弾薬などのための国防予算が減らされている」との指摘が出た。こうしたことが、「戦争への準備不足があった」という、一部の批判に繋がっているようだ。

また、政権批判の中には「ゼレンスキー氏はロシアに近い文化圏の出身だ」という声もあった。西部のリビウ市を拠点とするジャーナリストは、ウクライナ国内の東西の文化の違いを根拠にこう述べた。

「彼の出身地はウクライナ東部で、ロシア語が話されている地域です。そこで生まれ育った人には、ウクライナ語話者よりも『ロシアの世界』に魅力を感じる者が多い。つまり、彼もモスクワを世界の中心と見る文明の中で育ったわけです。だから、プーチンがウクライナをロシアの支配下に置きたいとの帝国的野心から戦争を始めたことを、心の底からは理解していないと思います。一方、ウクライナ語文化圏の人々は、それを理解しています」

このジャーナリストの大統領批判の背後には「ウクライナは東部と西部で対立している」

という国への見方がある。それは、おおまかにいえば、「東部はロシア語が優勢。西部はウクライナ語が優勢」「東部はロシアに地理的に近くロシアにシンパシーを持つ人がより多い。西部は反ロシア感情が強く、ウクライナ文化を重視する人がより多い」ということだ。こうした「対立」は今も完全になくなったとはいえない。

戦争の中で生まれた愛国心

しかし、この対立をゼレンスキー大統領にも当てはめて考えるのは、無理があるのではないだろうか。大統領はロシア語が母語だが、大統領就任を前にウクライナ語を勉強し、現在は見事なウクライナ語で演説もしている。そこで、この私の疑問について、キーウ在住の芸術雑誌の編集長オレナさんに尋ねると、次のような答えが返ってきた。

「ゼレンスキー氏は、ロシアに対する戦争のシンボルであり、カリスマです。今、批判するのは適切ではありません」

文化圏の問題は戦争中の今、口にすべきではないというのがオレナさんの立場だ。そして、大統領の置かれた決定的に重要なポジションをこう説明した。

「ついにウクライナ全体をまとめる唯一の国家目標が生まれたのです。それは『戦争での勝利』です。ロシアの侵攻まで、ウクライナという国は地域ごとに政治的、文化的、宗教的に違う方向をむいていたのです。それが、ロシアの脅威を前に統一されました。だから、ゼレンスキーを私たち国民は、今よくやっていると受け入れたのです」

また、戦争で生まれた「愛国心」に感動する声も取材の中では聞いた。

「ウクライナは東と西とで文化も踊りもすべてが違う国。それがロシアの本格侵攻後、愛国心が生まれ、すべての国民が一つになった。それは自分の国を守りたいという気持ちからです」

こう話すのは、ウクライナ国立バレエの芸術監督で、キーウ在住36年の寺田宜弘さんだ。京都府出身で、11歳の時にキーウに移住。バレエ学校で勉強して、バレエダンサーとして活躍した。戦争で一時は日本へ帰国したが、2022年9月にウクライナへ戻った。同年12月、日本人初の芸術監督となり、100人余りのウクライナ人ダンサーを指導している。

さらに、反ゼレンスキーだった政治家の中にも立場を変える人が現れた。第6章で紹介した元インフラ大臣のオメリヤンさんは、ゼレンスキー大統領のもとで一兵卒として前線で戦ったが、かつては大統領の「汚職疑惑」を追求してきた政敵でもある。彼は私に次のように語った。

「ロシアが侵攻したのは、プーチン氏がゼレンスキー氏を無能なのだと思ったからでしょう。しかし、今、彼は最高司令官としてよく戦っている」

犠牲者が日に日に増えていく中で

ロシアとの戦争をきっかけに、愛国心が生まれ、一つにまとまりつつあるウクライナ。一方で、戦いをめぐる認識の差も生まれている。前線の厳しさは、ウクライナの都会にいる市民たちの想像を超えているようだった。バレエ芸術監督の寺田さんはこう話す。

「彼ら（兵士たち）は休暇中、よく観劇に来るのですが、『キーウ市民は前線の兵士のことを分かっていない』と訴えてくるのです」

キーウはレストランでの食事もショッピングも普通にできる。それを見た兵士たちが悲しくなるのは、前線とのギャップらしい。生活を享受する市民の様子と自分の境遇の違いに、疎外感を持つということのようだ。

私がインタビューしたウクライナ軍の兵士たちはどうしているだろうか。無事だろうか。大学のポストを捨て前線で戦う女性指揮官は、朝食も取れないほど四六時中砲撃を受けた。そして部下が死んだことを示唆した。神父の兵士も地雷であやうく死にかけた。

第1章で紹介したチモフェイさんは、会社の同僚の一人が東部戦線に行った。そこで砲弾を浴び、病院に運ばれたが、亡くなった。彼は狙撃兵だった。動きにくくならないようにと防弾チョッキはつけていなかったという。

「つけていれば命が助かったかもしれない。残念です」

また、ゼレンスキー大統領を守るため、キーウの「下町」を警備した50人の「野郎ども」（23ページ）も、その後に半数が志願し、前線へ行った。彼らにご飯を提供していたレーラさんはこう話す。

「19歳の子と20歳の子が死にました。生きていれば、家庭を持ち、子供を育てていけたのに。プーチンが彼らの未来を奪ってしまいました」

ウクライナは兵士の犠牲者数を発表していない。キーウの雑貨店でたまたま出会った30代のウクライナ人女性は、そんなゼレンスキー大統領の責任に触れた。

「これだけのウクライナ人が死んで、『はい、ロシアと和平を結びました。クリミア半島は奪還できませんでした』ですみますか？　大統領には最後まで戦ってほしい」

私はウクライナ兵ひとりひとりの運命を思うと、何も答えられなかった。

あとがき

史上最も「可視化」された戦争。

ウクライナでの戦いはこう呼ばれる。ドローンのカメラがとらえた空からの動画、兵士や戦場記者が地上で撮った映像。そうした前線の模様が瞬時にＳＮＳで拡散される、初めての戦争だ。

一方、ウクライナ市民の心の中まではネットでは分からない。

彼らの士気は、ウクライナが戦いを継続するためのカギだ。それは、現地でウクライナ人に会えれば、聞けるのではないか。そんな思いで私はウクライナ入りした。録音機をオンにしたインタビューのほか、駅の待合室や喫茶店、タクシーの中など機会をとらえて、近くにいるウクライナ人に話しかけた。私はロシア語を話すので、通訳はなし。本書は、そうした一次情報に基づく戦争中のウクライナ市民の記録である。

私が会った限りでは、「即時停戦」を求める意見は聞かなかった。身内や友人をロシア側の攻撃で失った人が少なくなく、「今はロシアとの和平交渉は論外」という空気を感じた。士気は高かった。

では、それは今後どれくらい続くものなのか。２０２３年、ウクライナは反転攻勢を目指している。その結果次第で、ゼレンスキー政権の威信は上がりもするし、下がりもするだろう。士気についても同様だ。

こうしたいわば〝天王山〟を迎えるまで、市民が持ちこたえてきた背景には、「ロシアの世界」の存在もある。ロシアによる民間人殺傷や人権侵害をこの言葉で表し、抗議し、士気を保ってきたのだ。

ただ、この言葉の発祥はウクライナではなく、ロシアだ。ソ連解体後の国家的アイデンティティを探すプロセスで生まれた。簡単に説明しよう。

ソ連は、ウクライナを含む15の民族共和国から成っていた。その解体後、ロシアがソ連の継承国となった。それ以外の国も独立したが、多くのロシア人がそこにはおり、ソ連解体後も残って住み続けた。すると、ロシアでは「彼らは国外の『同胞』であり、共通の絆を築くべきだ」という議論が浮上した。同時に、ロシア国家としてのイメージアップ戦略を求める声も上がる。そして、１９９０年代末にロシアの知識層から、それらの要求を満たす象徴的な言葉として「ロシアの世界」が提起された。

それを「ロシア語」とはっきり結びつけて公式化したのはプーチン大統領だった。２００６年、「ロシア語とロシア文化を大切に思うすべての人を団結させるロシアの世界」に言及し、その翌年、大統領令を出してロシア政府のもとに、ロシア語の普及を目指す「ロシアの世界」基金を設立した。

やがて「ロシアの世界」は、「ロシアの文化、宗教、言語を共有する民族をロシア国内、国外にかかわらず守るべきだ」という覇権主義的なニュアンスも帯びる。例えば、２０１４年にロシアがクリミア半島を一方的に併合した際は、正当化のためにこの言葉が使われた。

そして、２０２１年2月にも似たことが起きている。プーチン大統領は、「海外在住かつ祖国（ロシア）にシンパシーを持つ人々との協力」を強調。この言葉をめぐり大統領報道官のペスコフ氏は「ウクライナに住むロシア人とロシア語話者はすべて『ロシアの世界』の一員だ」と述べた。これに対し、ウクライナのクレバ外相は『ロシアの世界』はロシア人以外を排斥するものだ。一方、ウクライナの世界は自分が自分でいられる多様で自由な世界だ」と反論。こうして、ウクライナ人の頭の中に、この戦争のキーワードの一つである「ロシアの世界」が刻み込まれた。

ただ、ロシアの世界をめぐる、ウクライナ語の文化とロシア語の文化の対立は、ソ連時代にまでさかのぼる（第４章参照）。当時から、詩人ワシーリ・ストゥスらのウクライナ派の文化人は、モスクワの権力に弾圧されていた。

私はそんなソ連の空気を知る、いわば同時代人だ。ストゥスが亡くなる１年前の１９８４年と、死から４年後の１９８９年の２回、私はモスクワに語学留学した。

１９８９年の時の留学先は全寮制の大学だった。14階建ての寮に住むのは、ほとんど外国人留学生だったが、20～30人ほどソ連国籍を持つ、ロシア語学専攻の大学院生もいた。その一人、エレーナさんはキーウ出身の小柄でメガネをかけた女性だった。私は、しばしば寮内の彼女の部屋を訪ね、ロシア語について質問したり、雑談したりした。

ある日、「ウクライナは将来、独立国家になると思う？」と尋ねてみた。

当時、ウクライナはまだソ連の一部だった。しかし、ペレストロイカ（改革）の最盛期で、同じくソ連だったバルト諸国では独立の機運が高まっていた。その市民運動を弾圧するためにソ連軍の戦車が出動、死傷者も出た。

エレーナさんは即答した。

「ウクライナとロシアが別の国になるなんて想像もつかない。言語も文化も一緒だから、独立は絶対しない」

しかし、それは一面的な見方だった。ウクライナもペレストロイカの影響を受けていた。その直後、私はキーウを訪ねた。市の中心部ではウクライナ人男性が街頭演説をし、路上には人だかりができていた。私は観光目的だったが、街は政治的な雰囲気に満ちていた。

男性はウクライナの民主化を訴えていた。聴衆の一人が言った。

「自分たちの言葉でしゃべろう。ロシア語はやめよう」

演説者はロシア語からウクライナ語に切り替えた。途端に私は彼が何を言っているのか聞き取れなくなった。

モスクワでも、やがて「ルフ」というウクライナ語の単語が、そのまま訳されずにロシア語の新聞の見出しに登場するようになった。「運動」という意味だ。そのウクライナ人たちの政治運動では民主化のほか、独立も議論していた。

ウクライナがロシアから離れようとしているのではないか。その時、私は初めてウクライナとロシアが互いに異なる国家であることを意識するようになった。

１９８９年当時、こうした2種類の「ウクライナ観」がウクライナ人の間にはあった。一つは、エレーナさんのようにロシアとウクライナが同一だという考え。もう一つは、ウクライナ語やウクライナ文化には独自性があり、それを大切にしようという考えだ。

33年後の２０２２年、私が訪ねたウクライナでは後者が主流になっていた。一方、ロシア語は、ロシア語話者の母語として、あるいは多民族国家ウクライナのリンガフランカ（共通語）として残っていた。

エレーナさんの予想は外れた。彼女自身のウクライナ観が、１９９１年の独立を経て変わったのかどうかは分からない。日本に帰国した後、私は彼女に会う機会はなかった。ただ、エレーナさんのような親ロシアの考えの人々が年老いて、考えを変えないまま、ウクライナに一定数いるということはあるのかもしれない。

目下の問題は、その中の親ロシア派「活動家」だ。彼らはウクライナのロシア占領地でロシアに協力している。占領地で起きていることは、ソ連時代の共産主義を思い起こさせる。拷問など秘密警察の手法を使った統治。ソ連でも同じことが起きた。占領地をロシアに併合するための、兵士による脅しも使ったエセ住民投票の強行。ソ連でも選挙は形骸化していた。

これらが「ロシアの世界」なのだろうか。だとすれば、ロシア語を話したり、ロシア語を学習したりする人の多くは「そんな世界はこの世にいらない」と思うのではないだろうか。ウクライナ人の国を守る戦争は、そうしたディストピアの再来を防ぐという、思想の戦いの側面もあるのかもしれない。

＊　＊　＊

本書は、担当編集者の河合健太郎さんに原稿の表現や内容について懇切丁寧に相談にのっていただき、できあがった。

最後に、つらい戦争中にもかかわらず、私と話をしてくださったすべてのウクライナ人に心から感謝する。ストゥスの詩の訳については、数人のウクライナ人からご教示をいただいた。ウクライナに住むひとりひとりの安全が確保される国際的な枠組みができるような形で戦争が終結し、平和が１日も早く来ることを祈りつつ、筆をおく。

２０２３年５月

岡野直

岡野直（おかのただし）

1960年、北海道生まれ。東京外国語大学ロシア語学科卒業。'85年、朝日新聞社入社。プーシキン・ロシア語大学（モスクワ）に留学後、朝日新聞西部本社社会部を経て、東京社会部で基地問題や自衛隊・米軍を取材。シンガポール特派員の経験もあり、ルワンダ虐殺、東ティモール紛争、アフガニスタン戦争など、紛争地取材の経験も多い。2021年からフリー。全国通訳案内士（ロシア語）。関心はウクライナ、ロシア、観光、文学。今回が初の単著。共著には『自衛隊──知られざる変容』（朝日新聞社）がある。

戦時下《せんじか》のウクライナを歩《ある》く

2023年7月30日初版1刷発行

著　者 ── 岡野直
発行者 ── 三宅貴久
装　幀 ── アラン・チャン
印刷所 ── 萩原印刷
製本所 ── ナショナル製本
発行所 ── 株式会社光文社
東京都文京区音羽1-16-6(〒112-8011)
https://www.kobunsha.com/
電　話 ── 編集部03(5395)8289　書籍販売部03(5395)8116
業務部03(5395)8125
メール ── sinsyo@kobunsha.com

　ISBN 978-4-334-04671-2

1242

追跡 税金のゆくえ
ブラックボックスを暴く

高橋祐貴

一般社団法人による〝中抜き〟、見えない五輪予算、孫の小遣いとなる中山間地域の助成金――。私たちの税金は何に使われているのか。気鋭の新聞記者がその杜撰な実態に粘り強く迫る！

978-4-334-04649-1

1243

友情を哲学する
七人の哲学者たちの友情観

戸谷洋志

友情とは何なのか。いま、その多様性を知ることが、人生をいくらか豊かなものにしてくれるのではないか。漫画が描く「友情」のあり方を参照しながら、哲学者七人の友情観を探る。

978-4-334-04650-7

1244

改訂版 東大合格高校盛衰史
1949年～最新ランキング徹底解剖

小林哲夫

日本一の頭脳たちはどこから集うのか？ 名門進学校の凋落と躍進を辿ることで、日本社会の構造が浮き彫りになる。戦後から今に至るまでの合格者数ランキングで、東大受験の実情を一挙総覧！

978-4-334-04651-4

1245

リスキリングは経営課題
日本企業の「学びとキャリア」考

小林祐児

急速に取り組みが進む、知識やスキルの学び直し「リスキリング」を阻む、日本企業特有の構造とは何か。大人が世界一学ばない国・日本における学び方、働き方の新たな仕組みを考える。

978-4-334-04652-1

1246

宇宙ベンチャーの時代
経営の視点で読む宇宙開発

小松伸多佳　後藤大亮

宇宙開発は民間企業がイニシアティブをとる「ビジネス」として生まれ変わりつつある。ベンチャー・キャピタリストとJAXAのエンジニアが企業経営とサイエンスの観点から展望する。

978-4-334-04653-8

1247

東大生、教育格差を学ぶ

松岡亮二　髙橋史子
中村高康　編著

地域・性別・社会階層など本人が変えることのできない「生まれ」によって学力や学歴などに差がうまれる「教育格差」を、東大生38人はどう捉えるか。白熱ゼミの模様を新書化。

978-4-334-04654-5

1248

90歳までに使い切る
お金の賢い減らし方

大江英樹

「貯める・増やす」の呪縛、「老後不安」という物語に振り回されず、価値ある使い方をすることで人生を豊かに生きる方法とは。お金の本質を掘り下げ、日本人のお金観に一石を投じる。

978-4-334-04655-2

1249

大人のマナー術

辛酸なめ子

コロナ禍の限られた人付き合いで、辛酸さんのマナー感覚は危機的状況に。一念発起、よりよい人間関係のヒントを学びます。今こそ読みたい、避けられないコミュニケーションへの処方箋！

978-4-334-04656-9

1250

会社のなかの「仕事」
社会のなかの「仕事」

資本主義経済下の職業の考え方

阿部真大

際限のない「超」長時間労働、蔓延するやりがい搾取、働き手を蝕む過剰サービス。日本人の働き方は、どうすれば変えられるのか？　疲弊した日本経済に「職業の社会学」が新たな地平を拓く。

978-4-334-04657-6

1251

山本五十六、最期の15日間

歴史に埋もれた「幻の3番機」

池田遼太
〈語り〉青木藏男

「私は1943年4月18日、米軍に撃墜された長官機の後ろを飛んでいました」。99歳の元搭乗員が明かす、山本五十六の戦死の真相。日本海軍の頂点と地べたが交わる戦場ノンフィクション。

978-4-334-04658-3

光文社新書

1252

再考 ファスト風土化する日本
変貌する地方と郊外の未来

三浦展

全国各地のロードサイドに同じような商業施設が建ち並ぶ「ファスト風土化」によって、郊外とそこに暮らす人々の意識はどう変わったか。小説家、建築家、研究者ら13名の論考を収録。

978-4-334-04659-0

1253

コミュ力は「副詞」で決まる

石黒圭

「めっちゃ」「やっぱり」「じつは」「なるほど」「せっかく」「あいにく」「おかげさまで」… etc. 気持ちを効果的に伝える最強の助っ人「副詞」、その分類と機能を知り、使い方の勘所を学ぶ。

978-4-334-04660-6

1254

阪神タイガースはなんで優勝でけへんのや？

喜瀬雅則

歴史 看板 風土 戦略 育成 苦悩 誤解 派閥 そして「アレ」――9つの枠組で分析する優勝が遠のく理由。阪神ファンの元番記者だから書けた「新・阪神タイガース論」。

978-4-334-04661-3

1255

定年前と定年後の働き方
サードエイジを生きる思考

石山恒貴

定年前と定年後の働き方は、個人の思考ひとつで大きく変わる――。この時期を、どう働き、どう過ごし、どう生きるのか。幸福な働き方を実現する思考法を、研究理論と実例から探る。

978-4-334-04662-0

1256

編集者の読書論
面白い本の見つけ方、教えます

駒井稔

古典新訳文庫創刊編集長が綴《つづ》る気取らぬ読書論。話題は海外の書店や出版社、作家、歴史的人物、古典、短編、児童書へと縦横無尽に広がり、未読の本の存在にわくわくすること間違いなし！

978-4-334-04663-7

光文社新書

1257

超遺伝子《スーパージーン》

藤原晴彦

生き物の不思議を司る超遺伝子。メスの一部だけが擬態するナガサキアゲハなど、ダーウィンとウォレスが残した謎を解き明かして見えてきた、遺伝学の新たなフロンティアに迫る。

978-4-334-04664-4

1258

理想の職場マネージメント

一軍監督の仕事

髙津臣吾

個性豊かな選手がひとつの方向を向くチームをつくるには？ セ・リーグ連覇、交流戦優勝、ゆとりローテーション、言葉の力――球界に革新を起こす名将が自らのマネージメント手法を語る。

978-4-334-04665-1

1259

参議院

倉山満

参議院を制する者が日本の政治を制する――。参議院とはいかなる存在なのか。誕生の背景から歴代政権のスタンス、そして現代日本政治まで、憲法学、政治学、歴史学の視点で検証。

978-4-334-04666-8

1260

東大生のジレンマ

エリートと最高学府の変容

中村正史

急増する休学者に、急進的な起業志向――保守的なはずの東大で、あえて「レール」を踏み外す学生が増えている理由とは？ 激変する東大と東大生の「今」を、当事者たちの声が浮き彫りにする。

978-4-334-04667-5

1261

宇宙・0・無限大

谷口義明

私たちの想像が及ばないほど広大な宇宙は無限の大きさを持つのか。また、この宇宙に0となる物理量は存在するのか。シンプルながらも深遠な問いに天文学者が果敢に挑む一冊。

978-4-334-04668-2